サイエンス・タイム

― 世界を変えた放射能の発見 ―

馬場　宏

22世紀アート
22nd CENTURY ART

はじめに

ブラックホールの謎に迫る

　19世紀末に起こった放射能の発見は、自然科学の様々な分野に革命をもたらしました。その成果の一つが宇宙論の誕生であり、我々の前にインフレーションに 始まり宇宙の熱的な死へと向かう壮大な叙事詩が展開されることになりました。 先日、世界中の天文学者の長年に渡る研究の成果として、宇宙論の中心テーマの一つであるブラックホールの実在の証拠となる1枚の写真が世界中に報じられ、世間は熱狂の渦にまきこまれました。

　本書では、ブラックホールの正体と、星の進化の中で誕生し、やがて周囲の物質を全て飲み込んで宇宙に死をもたらすまでの生涯をできるだけわかりやすく解説することをこころがけている。

若者の理科離れ

　若者の理科離れを嘆く声が聞かれるようになってからだいぶ月日が経ちました。その後、宇宙ブームが盛況になってその傾向は少しは改善されたようにも見えますが、福島第1原発の事故のせいもあって、自然科学全般では今でもその傾向は変わっていないように思われます。

　科学の面白さを知ってもらうことで、若者の理科離れを食い止めようと努力する様々な試みが繰り返されていますが、理科離れの最大の

原因が現在の受験地獄にあることは明らかで、その意味で、根本的な解決は一朝一夕には望めないように思われます。効率的な受験勉強を目指すだけの単なる知識の詰め込みを重視するあまり、中学・高校の理科の教科書はなんら物事の系統的な捉え方をせず、断片的な知識の羅列に終始し、本来演繹的、論理的であるべき理科の授業を暗記させるだけの無味乾燥なものにしてしまっています。これでは、生徒たちが自然科学になんの魅了も感じなくなるのも当然です。

理科離れの元凶

かつて私が大学で教鞭をとっていた時、文科系の新入生を対象にした教養課程として、自然科学の授業をしたことがありました。その時の講義の内容はほぼこの本の中身に近いものでしたが、普段ならば、黒板に数式はいうに及ばず、数字や記号が現れただけで頭が拒絶状態になる文系の学生が、大変な興味を示してくれました。これが専門課程の授業であれば、開講当時は満員であった教室が、日がたつにつれてガラガラになり始め、最後は半分も出席しなくなります。そのくせ試験の日だけは再び満員になるのが通例であるのに、この授業だけは最後まで受講者が減ることはありませんでした。それどころか、もともとこの授業を選択していなかった友達まで誘ってくる始末で、かえって後になる程出席者が増える有様でした。そして「自然科学がこれほど面白いものとは知らなかった」というのが彼らの一様な感想でした。

この時の経験からしても、決して自然科学が若者に嫌われている訳ではなく、自然科学の魅力を彼らに伝えられない教育者の側にこそ反

省しなければならない原因があると言わざるを得ないことは明らかです。物理は当然のこととして、他の理科の科目、特に化学が決して暗記一本槍の科目ではなく、確立された原理、原則の上に構築されるべき演繹科学であることを若者たちに知らせることがわれわれに求められているのです。

自然科学の魅力を伝える

　以上のべたような観点に立って、我々が身を置いている世界の仕組みをできる限りわかりやすく説くことで、自然科学の魅力、特に現代科学の果たした役割を、若者のみならず、一般の読者、なかんずく若い母親の皆さんにも伝えることを、この本は意図しています。そのために、数式の類は極力使わないことに務め、一ヶ所簡単な代数を使った点を除いてその目的は果たされたと満足しています。

　この本では、まずメデレーエフの考案した元素の周期表からスタートして、放射能の発見が周期表からどのような情報を引き出し、現代化学誕生の引き金になったのかを解き明かすことから始めて、波乱万丈と言って良い19世紀末から20世紀前半にかけての自然科学の発展、さらには最新の化学情報の幾つかを紹介したいと思います。

科学のもたらした負の側面

　その一方で、放射能の発見は様々な難問を私たちに突きつけることなりました。それは、原子爆弾の開発と人工的に作り出される放射能被害の問題でした。人類が希望を持って生み出した原子エネルギーの

平和利用も原発事故という恐怖を我々にもたらすことになりました。放射能の発見がもたらした、こうした負の側面については第 8 章に紹介します。

　最後にお断りしなければならないのは、一般の読者だけでなく、第一線の学者、研究者にも十分満足して頂けるようなレベルの話題をも著者の興の赴くままに随所に取り入れたために、一般の読者に難解であるという印象を与えたことも否めないことです。教科書と違って、この本は全て理解しないと先へ進めないというものではないので、そんな時はそこで諦めることなく、思い切りよく飛ばして、先へ進んで下さるようお願いします。

目　次

序章　夜明けまえ

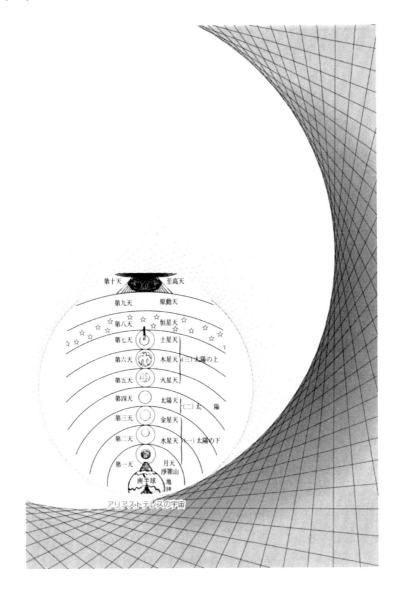

第十天	至高天
第九天	原動天
第八天	恒星天
第七天	土星天
第六天	木星天 (三) 太陽の上
第五天	火星天
第四天	太陽天
第三天	金星天 (二) 太陽
第二天	水星天 (一) 太陽の下
第一天	月天

南半球　淨罪山　地獄

アリアストテレスの宇宙

アリストテレスの自然学

宇宙の中心へ向かう運動を理論的に構築

　中世の人々は、2000年の長きにわたるアリストテレスの自然学の影響から抜け出ることができませんでした。それというのも、彼の自然学は、精緻を極めた一大体系を構築していたからでした。アリストテレスの理論によれば、地球上の重い物体はすべて、宇宙の中心へ向かう自然的な運動をもっており、他の方向に向かう運動はすべて不自然な運動であるとされました。そのような運動は、なにものかがそれに力を加えて生じさせるとされました。この見方の基本的な特色は、ある物体が運動を続けるのは、なにものかが実際にこれに触れて、絶えず運動を賦与していなければならないという公理、その実は仮定、にありました。

地球は土・水・空気・火の4物質で構成されている

　地球を構成している物質は四種類の物質（元素）から成っていて、これらはそれぞれの徳と高貴さに従って格付けされています。土がその中で最も卑しい物質で、次いで水、空気、火という順に並んでいますが、われわれはこれらの元素を純粋な状態で見ることはなく、卑しい混合物として接しているのです。四元素のうち、土と水は重さを持っていて下降する傾向があり、宇宙の中心まで行って始めて静止します。空気と火は重さを持たず、逆に上昇する特質を持っています。
　四元素にはそれぞれに固有の球があって、各元素はなんとかしてこ

の固有の球に行き着いて安定と静止を得ようとするのです。さらに、アリストテレスは、太陽、恒星および惑星から成る天上界を構成する物質として、腐朽することのないエーテル状で円運動をしている第五の元素が存在すると考えています。

宇宙は一連の天球が重なり、中心に地球がある

　紀元前6世紀にピュタゴラスによって創始され、アリストテレスによって体系化された宇宙観は、キリスト教時代初期の紀元2世紀のプトレマイオスによって集大成されました。それによれば、宇宙には一連の天球が順に重なりあっていて、その全体系の中心に不動の地球があるというものでした。彼によれば、天は地球を囲む十個の球から成り、すべて透明であるが触れることのできる実体であって、それぞれ一つまたはそれ以上の天体をその背にのせて地球の周りを回っています。唯一最高天にある神の御座のみが静止しているというのでした。地球に一番近い球には、諸天体の中で最も卑しい月がくっついており、次いで諸惑星、太陽の順に階層状に球の背に乗せられていて、第八番目の球にはすべての恒星が乗っています。第九番目の天球には、惑星も恒星も乗っていませんが、他の諸天球を1日24時間に1度の割で東から西に回転させている天使のために存在しなければならないとされています。

アリストテレスの物理学の破綻

地動説や万有引力の発見へと続き近代科学の誕生へ

　整然とした調和を保っているかに見えた古代の宇宙像が、やがて崩れ去る時がやって来ました。惑星観測のデータが蓄積されるにつれて、次々に理論の綻びが露呈したのでした。惑星の奇妙な運動を一様な円運動の複雑な組み合わせで説明しようとして、ついには八十個の天球が必要になりましたが、それでも完全に満足の行くものにはなりませんでした。その一見不規則な運行の故に「さまよい歩く」という動詞に由来して遊星ないし惑星と名付けられた星たちの運行を説明するためには、むしろ地球を他の星と同じように動くものとして考えることはできないかと、アリストテレスの師であったプラトンは晩年には問いかけていたと伝えられています。

　そのような中で、人々の中には、次第にアリストテレスの物理学に異議を唱える者が現れ、やがてコペルニクスの（不完全なものではあったものの）宇宙の中心を太陽とする考え方を皮切りに、ガリレオ・ガリレイの地動説、さらにはニュートンの万有引力の発見へと続いて、近代科学の誕生を迎えることになります。

ガリレオの高性能望遠鏡で次々新発見

　特にガリレオは、17世紀初頭に当時最高の性能を持つ望遠鏡を作り上げ、これによって木星に4つの衛星を発見して、地球以外にも回転の中心が存在しうることを示し、次いで金星の満ち欠けを観測して、

金星が太陽の周りを回っていることの確証を得ました。また、新星や数多くの彗星の観測結果の解析により、天球が不変でないことも導き出して、アリストテレス＝プトレマイオス説の矛盾を明らかにしました。彼はこれら膨大な成果を教会の権威に押しつぶされながらも、屈することなく二大著作「二大世界系対話」と「新科学論議」に纏め上げています。これらの業績は、ニュートンの万有引力説の下敷きになっています。

錬金術とフロギストン説の登場

物が燃えるとき逃げ出そうとして流れ出す火の元素

　化学と生物学の分野では、近代化の波は、物理・天文学に比べて一世紀以上も遅れて訪れました。変革がそのように遅くなった理由は、化学にあっては、それが実生活と結びついた技術上の進歩・発展という形に終始し、学問の体をなしていなかったことにあります。化学の歴史はむしろ化学者の歴史と呼ばれるべきものであり、1750年代後半になって初めて化学の歴史と呼ぶべき様相を呈して来ました。この流れに直接貢献したのは、皮肉なことにフロギストン化学とよばれる風潮で、それ以前の錬金術化学の貢献は、酸・塩基の発見のような個々の成果が見られるとはいえ、化学という学問の体系的な構築という面では殆ど認めることができません。

　フロギストン説とは、物が燃えるときには、その実質から何かが焔となって逃れ出ようとして流出し、分解が起こって、元の物質はより

基本的な要素に還元されるという考えで、その逃れ出るものは火の元素であり、フロギストンと名付けられました。

フロギストン説は1730年頃からフランスで取り上げられ始め、1740年から1750年代にかけてヨーロッパ中に急速に広まり発展しました。実は、物質が燃焼すると元より軽くならず、逆に重くなることは以前から知られていましたが、当時の化学では重さの概念がそれほど重視されていなかったこともあって、それほど問題にされなかったり、フロギストンは負の重さを持つといった類いの珍妙な説で切り抜けようとされたりしていました。

化学的に分解できない物質は元素である

また、水と空気は共に分解することのできない元素で、それぞれ一種類しか存在しないと考えられていました。その一方で水にも空気にも互いに異なるものが幾つもあることが知られていましたが、それらは何か不純物に汚されているとか、物理的な状態の違いで異なって見えるのだということで片付けられていました。

これらの混乱と矛盾を解決したのは、ラヴォアジエでした。彼は雑然と投げ出された知識の断片を並べ変え、整頓して「化学的に分解できない物質は元素である」という結論に到達したのでした。彼は空気が元素でなく、「呼吸に適した空気（酸素）」を含む混合物であること、物が燃えるときに出る「固定空気」が炭素と酸素の化合物であること、水は元素ではなく分解することも合成することもできるものであること等を証明したのです。

神話的世界からの脱却

「生命の誕生」解明の遅延の要因は聖書にあり

　生物学の分野では、17世紀の初めに、血液の循環と心臓の働きの発見という重要な成果が挙げられました。この問題の解明に主要な役割を果たしたのはハーヴェイでしたが、彼の得た成果は、独創的な実験から導き出されたというよりは、化学の分野でのラヴォアジエのそれと対比されるような総合化の結果というべきものでした。

　ところで、生物学における最も主要なテーマである生命の誕生という問題をも含んだ進化論の発展の歴史は、18世紀にずれこむことになります。生物学における科学革命の始まりが18世紀にまで遅れた原因が聖書にあることは明らかです。我々が眼にする様々な生物種は神が創造の仕事を終えた日以来、全く変わっていないということが、17世紀末においても強く強調されています。分類学者として 1730 年代に著明な業績をあげたリンネもまた、ある特定の種に属する個体の系譜はすべて創造のときに作られた最初の一組にまで遡るものと考えていました。もっとも、晩年の彼は種の境目については柔軟な考え方をしていましたが、彼の後継者たちは、リンネの権威をかさに着て、硬直化した考え方を押し通すことによって大きな影響力を及ぼしていました。

世界を構成する物質の微粒子は生きた「生命原質」

　一方で、リンネと同時代のライプニッツは、創造が引き続き起こっ

23

ていることと、自然界の生物の間には途切れることのない段階があることを強調していました。彼は、世界を構成する物質の微粒子は生きた生命原質のようなもので、これが生物体の基礎となると考えました。この考え方は多くの生物学者たちに影響を与えました。それは、自然の中の生物に様々な組み合わせがあることや、特別の創造行為を仮定せずに色々な形態の生命の起源を説明するのに好都合だったからでした。逆に、この考え方は生命の自然発生説を長続きさせる役割をも果たすことになりました。

18 世紀には、「存在の大連鎖」という考えが一つの頂点を迎えていました。この考え方は被創造物が無限に段階付けられているというもので、下は無生物から上は神ご自身にまで及んでいるとするものです。人間もまた、この連鎖の中に組み込まれていることになります。ところで、この「存在の大連鎖」は、生物進化説を支えることも、逆に自然の不変性という考えに結び付けることも可能でありました。

近代科学革命

地球の年齢 6000 年説を元に様々な進化論が登場

17 世紀の後半には、化石や岩石の歴史についてあらゆる種類の推測を行なうことにふたたび強い興味が持たれるようになりました。時間の経過の中で地球そのものも含めて、万物がどのように推移して来たかを知るために、あらゆる材料が集められることになります。その結果、地球の年齢が僅か 6000 年であるという伝統的な考え方は、膨大な

地質学的年月に置き換えられるようになってきました。18世紀末には、地球環境の変化に応じて、生物の種は様々に変わり得るという進化論的な説（進化ではなく退化するという説も含めて）が登場するに至りました。19世紀の初めには、「存在の連鎖」に代わって、生命の系統樹という進化の道筋が考えられるようになりました。この時期までに、生存競争という思想を除けば、ダーウィン理論の中味はすべて世人の前に提供されていたのでした。

科学革命はアリストテレスの自然学を葬り去る

　近代科学の誕生という"科学革命"は、アリストテレスの自然学を葬り去り、科学における中世ばかりでなく古代の権威をも覆すことになりましたが、その原動力となったのは、全く新しい観測結果や実験でもなければそれまでに存在しなかった理論でもありませんでした。その原動力となったのは、すでによく知られていた観測結果や、過去において無視されあるいは忘れ去られていた多くの異説のなかに存在していました。要は、目の前に展開された事象をどう認識するかという、人々の意識の変革の問題でした。

　したがって、この科学革命の過程にあっては、現代に見る科学的実証の手法よりも、哲学上の考察の方がより大きなウエイトを占めていました。力学と天文学の分野が先陣をきって始まった科学革命は、哲学体系の中に完全に組み込まれていたと見ることが出来ます。同時に宗教の影響からも完全に脱却することはできませんでした。

第二の科学革命

19世紀末の「放射能発見」を契機に新しい宇宙観

　それに対して、19世紀末の放射能の発見を契機に巻き起こった第二の科学革命は、全く様相を異にしていました。私たちは、放射能の研究が次々ともたらす謎によって、それまで全く未知であった事象を突き付けられ、その説明を求められたのでした。そして、その新しい体験を通して、今までと全く異なる物質観、宇宙観を得るに至ったのでした。そこにはもはや、哲学や神学の入り込む余地は全く無くなったといえます。15世紀から18世紀にかけての近代科学革命が、人々が常識として持っていた観測結果を説明するためのものであったのに対して、19世紀末に始まる現代科学革命はそれまでの常識を覆す学問体系を構築するものとなったのでした。

　現代科学の夜明けをもたらすことになった放射能の発見にともなって、次々と既存の学問体系を根本から揺るがしかねない謎や、常識を覆すような事象が見出されることになります。そして、それらの謎を一つ一つ解いていく過程で、人類は新しい物質観、世界観を獲得していくことになったのでした。その中で、輩出した多くの天才たちの働きによって、全く面目を一新した壮大な現代科学の骨格が築き上げられていきました。

生物学はダーウィンの進化論で夜明けを迎える

　一方、聖書と教会の軛から抜け出せずに近代化が遅れていた生物学

の分野では、19世紀半ばに登場したダーウィンの進化論によって、ようやく夜明けを迎えることになりました。1860年に英国科学振興会の定例会で行なわれたダーウィン学派と保守的なキリスト教会派との論争で、進化論に軍配が上がったことにより、科学は神学的・宗教的な束縛を断ち切り、近代化を成し遂げたのでした。その影響は、独り生物学の分野に留まらず、社会学を始め、様々な分野に波及することになりました。まさに、現代社会の誕生と言うことができましょう。

この本では、まずメンデレーエフの考案した元素の周期表からスタートして、放射能の発見が、周期表からどのような情報を引き出し、現代科学誕生の引き金になったのかを解き明かすことから始めて、波乱万丈と言ってよい19世紀後半から20世紀にかけての自然科学の発展、更には最新の科学情報の幾つかを紹介したいと思います。

その一方で、放射能の発見は様々な難問を私たちに突きつけることになりました。それは、原子爆弾の開発と人工的に作り出される放射能被害の問題でした。人類が希望を持って生み出した原子力エネルギーの平和利用も原発事故という恐怖をわれわれに突き付けることになりました。放射能の発見が齎した、こうした負の側面については第8章に紹介します。

本文の内容は、できるだけ噛み砕いて書いたつもりですが、何ケ所か分かりにくい所もあるかと思います。そんな時は、そこで諦めることなく、思いきり良く飛ばして、先に進んで下さることをお願いします。

第1章 元素の周期律と放射能の発見

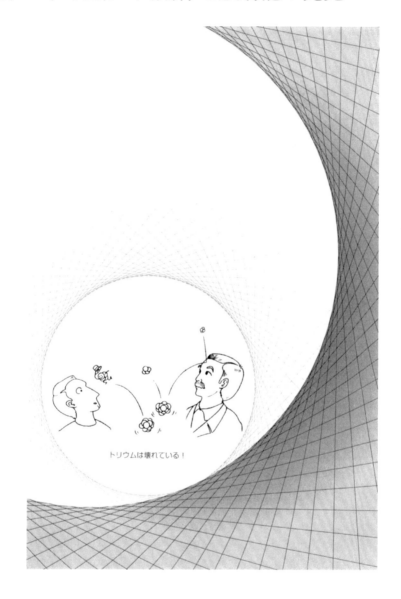

1.1 元素の周期律

万物は元素からできている

ラヴォアジエが確立した化学元素説

　自然界に存在する物質の種類は、実に限りがないほど多様です。さらには最近の化学の進歩によって、本来天然には存在しない人工的な物質（ほとんどは有機化合物）が何十万と作り出されています。ところが、このように数限りのない物質が、僅かに 100 にも満たない数の元素と呼ばれる基本要素から成り立っているのです。

　この世の森羅万象を 4 つないし 5 つの基本物質の組み合わせとして捉えようという思想はかなり古い時代から、洋の東西を問わず共通に存在しました。ギリシャでは、すでにギリシャ哲学前期に、土、水、空気および火が互いに独立で他から導き出されることの無い永遠の四元素、万物の根源という思想が確立していました。そして、デモクリトスは、真に存在するものは原子と空虚であり、原子はそれ以上分割できない、不生不滅の究極の単位としました。宇宙は空虚と無数の原子とから成り、「いろいろの事象は空虚の中で動いている原子の結合・分離に基づく」と提唱しました。

　それに対して、アリストテレスは万物の究極的な不可分で自己同一を保つ構成要素という考えを認めず、土、水、空気、火の四元素は互いに変わり得ると主張しました。以来、デモクリトスの原子論は、長いこと忘れ去られ、顧みられませんでした。しかし、17 世紀になって、ボイルがこの原子論を支持し、それ以上単純な物質に分けることので

きない物質を元素と定義しました。ボイル自身が化学元素という概念を明確に持っていたかどうかについては疑問ですが、化学元素の存在はラヴォアジエによって明確な形で証明され、元素説が確立しました。

メンデレーエフの周期律

元素を重さの順に並べる

かくして、19 世紀の始めには元素という考え方が確立しましたが、当時知られていた元素はまだ 20 種類程にしか過ぎませんでした。1850 年頃には、発見された元素の数は 58 種に達し、それらの単体および化合物の性質もかなり明らかになっていました。このような情勢を背景にして、ロシアの化学者メンデレーエフは、1869 年から 71 年にかけて元素の周期律を発表しました。

図1.1　メンデレーエフの周期表

発見された元素が増えるにつれ、元素の中には互いに良く似た化学的性質を示すものがあることが知られるようになり、様々な考察が加えられたなかで、メンデレーエフは、当時知られていた元素を重さの順に並べると、互いに似た性質を持つ元素が周期的に現れることに気が付きました。この周期性は完全なものではなく、該当する元素がない場所もありましたが、彼はその場合はその位置に入るべき元素が未発見であるためとして空欄のままにしました。しかしこの周期律に従わない例外がありました。それはカリウムとアルゴン、コバルトとニッケルそしてヨウ素とテルルの 3 つの組で重さ（原子量）の順と化学的性質が合わないことでした。メンデレーエフは、賢明にも化学的性質の方を重視し重さの逆転はそのままに残しました。この問題に決着がつくのは 20 世紀になってからのことです。

空欄が予言した新元素

　メンデレーエフの与えた周期表は、始めは元素同士の化学的性質の類似性を考慮して重さの順に元素を並べた経験則に過ぎず、果たして原子量のようなものを普遍的なパラメーターとして扱えるのかという疑問もあって、反対する者も大勢いました。しかし、元素の性質を周期律に基づいて確かめられることが明らかになっただけに止まらず、周期表中の空欄が未発見の元素とその持つべき化学的性質を予言するという輝かしい成果を挙げるに及んで、大部分の学者に支持されるようになりました。周期律の本質が明らかになるのはずっとあとのことです。

1.2　放射線の発見

X線の発見

偶然に発見した未知の放射能

　著名な化学者であると同時に物理学者でもあったクルックスが一連の真空放電実験のために独自に製作した陰極線管（二極真空管）は、ドイツの物理学者レナートによって改良され、アルミ箔の窓を通して陰極から出てくる陰極線を空気中数センチの距離まで引き出すことが可能になりました。

　レントゲンは、このレナルト管と呼ばれる改良型陰極線管を黒紙で包み、放電管の窓を通して出てきて、空気中に置かれた蛍光板に達する陰極線の様子を観測していました。1895年11月5日の夜のことです。真っ暗な部屋の中で陰極線に対する陰極線管を覆った黒紙の厚さによる遮蔽効果の変化を調べていた彼は、少し離れた机の上に置いてある二、三の結晶が蛍光を発しているのに偶然気が付きました。蛍光板として使っていたバリウム化合物を塗った紙を同じ場所に持って行くともっと明るく光りました。試みにレナルト管の電源を切ると蛍光は消え、入れると再び蛍光を発しました。次に、蛍光紙を持って隣室に行き、ドアを閉めて暗い中で紙を拡げると、同じように光ることが観測されました。このことから、彼は陰極線と異なる透過力の強い放射線が放出されていると結論しました。

発見した放射線の性質

その後、レントゲンは 7 週間にわたってこの未知の放射線の性質を調べ、その結果を 12 月 28 日付の論文に発表しました。そして、その本質が判らないという意味で、放射線を X 線と名付けました。彼の発表した結果をまとめると次の様になります。

（ⅰ）　可視光線・紫外線を通さない黒いボール紙を通過する。

（ⅱ）　木材、金属箔、生体の軟組織など多くの物質を透過する。

（ⅲ）　X 線により蛍光を出す物質には、前述のバリウム化合物の他に種々のカルシウム化合物、普通のガラス、方解石、岩塩などがある。

（ⅳ）　強力な磁石によっても X 線の進行方向は変わらない。

（ⅴ）　レンズによって回折を起こさない。

同時に、彼は化学アカデミーで講演を行い、その席上 X 線による人体透視のデモンストレーションをして X 線の医学的利用の可能性を示唆したと伝えられています。

レントゲンは X 線発見の業績に対して 1901 年に第 1 回ノーベル物理学賞を授与されました。

ベクレルの実験

X 線の発見に刺激されたベクレル

放射能の発見者となるアンリ・ベクレルは、父エドモンドの影響を

受けてウラニウム塩の蛍光現象を研究していました。彼はある種のウラン化合物を合成してこの化合物に紫外線を当てると非常に強い蛍光を発することを観測しました。

　レントゲンのX線の発見に刺激されたベクレルは、このウラン化合物を日光に当てたあと黒紙で覆った写真乾板に近づけると、写真乾板が感光することを見出しました。この現象は強い日光でも弱い日光でも同じ強度であるばかりか、暗所で合成され、そのまま暗所に保管されていた結晶でも観測されました。さらに、他のウラニウム塩、溶液、金属ウランでも観測され、蛍光の強度はウランの含有量に比例しました。また、この透過力の強い放射線は充電した検電器を放電させることも見出されました。1896年のことでありました。

ウラニウム線は原子レベルの現象

　これらの結果は、この放射線が外部からの作用によって惹き起こされたものではないことを示しています。また、その強度がウランの含有量のみに依存し、その化学的、物理的状態に無関係であることから、原子レベルの現象であることが結論されます。この結果はその年の内に物理学の学術誌に発表されましたが、地味な雑誌であったこともあってその重要性は殆ど注目されませんでした。その中にあって、たまたま学位論文のテーマをさがしていたキュリー夫人は、ウラニウム塩の示す奇妙な現象に心を惹かれ、"ウラン化合物の出す光線の研究"をテーマに選ぶことにしました。1898年には、キュリー夫人とシュミットがそれぞれ独立にトリウム化合物もウラニウムと同じように類似の放射線を出すことを見出しました。

キュリー夫人の実験手法とポロニウムの発見

"放射能"と命名したキュリー夫妻

キュリー夫人は既知のあらゆる元素について手に入る限りのあらゆる単体または化合物を綿密にテストし、ウランとトリウム以外に既知の元素で明確に放射能を示す物は存在しないことを確かめました。この時点で、彼女の夫ピエールは彼自身の結晶の研究を"一時"放棄して、この未知の物質の探求の為にマリーに合流することになりました。キュリー夫妻は、このウラニウム線が元素に固有な原子レベルの現象であり、その化学的または物理的状態に関係しないことを改めて確認し、これを"放射能"と命名しました。放射能という言葉は、ウラニウム線という未知の放射線を出す現象ないし能力を意味する用語でしたが、後に放射線を出す物質そのものを表すのにも使われるようになり、今では放射能と言えば後の使われ方の方が普通になっています。

キュリー夫人の実験手法

未知の放射線を調べるためにキュリー夫人が採った方法は、どう手を付けたら良いか見当もつかないような未知の現象を前にした研究者にとって大変参考になります。片っ端から系統的に可能性をつぶしていくという愚直な手法が、結局は問題の解決に辿り着く近道になるということです。

しかしながら、現実の研究の場ではこれは恐ろしく根気のいる退屈なやり方であり、最後までやり遂げるのは容易ではありません。一般

に女性の方が男性より辛抱強く、この様な地味な仕事に向いていると私は思っています。粘り強さこそ研究者の資質を左右する大きな要因であり、この資質において他の追従を許さぬキュリー夫人なればこそ成し遂げられた偉業であるような気がしています。

放射能を頼りに発見した新物質

キュリー夫人の探査の過程で、二、三のウラン化合物で異常な放射能が認められました。また、ある種のウラン鉱石は化学的に合成されたものよりも強い放射性を示すことも観測されました。キュリー夫人はこの異常な放射能が新物質によるものであるという仮説を立て、ウラン精錬の際のピッチブレンド残滓からこの物質を抽出することを試みました。彼女が新物質の存在を信じた理由は、放射能が物質（元素）固有の性質であり、ウランとトリウムの他のいかなる既知の物質も放射能を持たないと、自分が既に確かめていたからでした。

この時にキュリー夫人が採用した方法は、放射能の測定を検出手段として化学分離を行うという全く新しい手法で、その後、放射化学という新しい学問分野を切り拓くことになりました。その結果、ウランより約400倍強い放射能を示す未知の放射性物質がビスマスと共に濃縮され、彼女の母国ポーランドの名にちなんでポロニウムと命名されました。ポロニウムは、その強力な放射能によってのみ検出された新しい物質であり、最初にその異常な放射能に気付いてから僅か4ヶ月で発見されたことになります。

ラジウムの発見

バリウムと行動を共にする新物質

　この研究の進行中に、バリウムと行動を共にする、ポロニウムよりさらに強い放射能を持つ物質があることが見出されました。塩化物の溶解度の僅かな差を利用する分別結晶を行うと、この未知の物質は塩化バリウムの沈殿と別れて母液の方に濃縮されました。これを分光分析にかけて、未知のスペクトル線を出すことを確認しラジウムと命名しました。ポロニウムの発見から半年後のことです。

４年に及ぶ悪戦苦闘

　しかしながら、キュリー夫妻の発見に疑いを持つ者も少なくありませんでした。それまでの常識からいえば、放射能以外には手に持つことはおろか見ることも出来ないのでは、物質とは認められないという感情は無理もありません。夫妻はこの発見をより確かなものにするために、秤量可能な量のラジウムを精製分離することを計画し、その結果、４年に及ぶ悪戦苦闘が始まることになりました。１トンのピッチブレンド残滓から出発して、分光学的にバリウムのスペクトルが認められない程の高純度で、100 ミリグラムのラジウムを 25％の化学収率で分離し、近似的な原子量として 225 という値を与えました。後にラジウムの原子量を再測定して 226.5 と改めました。ちなみに現在の値は 226.0254 とされています。さらに、溶融塩の電気分解によって金属ラジウムを精製しました。

ここに至って、キュリー夫人はそれまで延び延びになっていた学位論文に着手し、ポロニウムとラジウムの発見とラジウムの放射線の作用などに関する研究を纏め、「放射性物質について」と題する論文にして 1903 年にパリ大学に提出しました。これに対して、直ちに王立協会からデービー賞牌が授与され、さらにキュリー夫妻にはベクレルと共同で第 3 回ノーベル物理学賞が与えられました。

1.3　エネルギー保存則の危機

放射能は永久機関？

エネルギー補給なしに放射線を出し続けるウラニウム

　ベクレルが放射能発見の研究の際に使用したウラニウム試料は、その後何年もの間、暗所に保存され、その間いかなる既知の方法によってもエネルギーの供給がなされない状態にありました。それにも拘わらず、これらの試料を取り出して再び放射能の強さを測ったところ、放射能の強さは全然減っていませんでした。このことは、ウラニウムが外からのエネルギー補給なしに何年もの間同じ強さで放射線を放出し続けることを意味しており、これは物理学の大法則であるエネルギー保存則が破れるのではないかという大変な疑問を投げかけることになりました。

　中世には、エネルギーの供給なしに永久に仕事をし続ける永久機関を作ろうと大勢の科学者達が努力を傾けましたが、結局、誰一人成功

しませんでした。やがて熱力学という学問が登場し、エネルギーの総量は増えも減りもせず常に一定であるというエネルギー保存則が熱力学第 1 法則として確立するに至って、永久機関の可能性は完全に否定されました。放射能の発見はこの大法則を覆すように思われたのでした。

放射能が生み出す巨大なエネルギー

この謎は、後年アーネスト・ラザフォードを中心に行われたエマネーションの発見とそれに続く研究、さらにはアルバート・アインシュタインの特殊相対性理論の登場によって解明され、エネルギー保存則の危機は救われることになりますが、当時はそのエネルギー源は未知のままで、とりあえず放射線に付随するエネルギーの大きさを見積もることが試みられました。例えば、キュリー夫人は 1 グラムのラジウムの与える発熱量は 1 時間当たりおよそ 100 カロリー程度と見積もっています。1903 年には、早くもマスコミが新兵器としての放射能の可能性に着目しています。人間の悲しい性と言うべきでしょう。

キュリー夫人の功績

キュリー夫人が救った大勢の戦傷者

ラジウムを発見し、秤量可能な量のラジウムの分離精製に成功したキュリー夫人の研究室からは、その後、世界中の大学、研究所に惜し

みなくラジウムが提供され、ために科学の進歩に測り知れない貢献を果たしました。放射能の単位として 1 グラムのラジウムが 1 秒間に放出する放射線の数を 1 キュリーと定められたことからみても、影響力の大きさがわかります。

　ラジウムはまた、世界中の病院にも送られ、病気の診断や治療に活用されました。特に、第一次世界大戦中には、キュリー夫人自身が X 線発生装置とラジウム線源を積んだ放射線治療車で戦場を駆け回り傷病兵の治療に当たっています。後には、二十台の放射線治療車と二百の放射線治療室からなる治療チームを作り上げ、それによって百万を超える戦傷者が救われたといわれています。

1.4　放射能の奇妙な振る舞い

磁場で曲げられる放射線

ラジウムの放射線は二成分

　放射能発見から間もない1899 年から1900 年にかけて、ベクレルは、ラジウムの放射線が物質により吸収される様子から見て、均一な成分から構成されていないこと、また放射線の一部が磁場内において進路を曲げられることを認めました。これと時を同じくして、ラザフォードが金属箔を用いる放射線の吸収の実験を進め、より定量的な結果を導き出しています。すなわち、ラジウムの放射線は 2 つの成分から成ることを見出し、それぞれアルファ線、ベータ線と名付けました。そ

して、ベータ放射線の強度が吸収体の厚みと共に指数関数的に減少することとあること、その吸収の強さを表す吸収係数と名付けた数値は吸収体の原子番号と共に大きくなることを示しました。

アルファ線の奇妙な振る舞い

ラザフォードはアルファ線にもベータ線と同じ指数関数則が成り立つものと考えましたが、余りにも早く減衰してしまうために、確かめることができませんでした。ところが、キュリー夫人が、アルファ線の場合には吸収係数はベータ線と異なって一定とならず、放射線が吸収体中を進むにつれて大きくなることを示しました。これは思いがけない結果でした。何故なら、もし放射線が不均一な成分を含むことが原因で吸収係数が変化するのであれば、大きくなるのではなく逆に小さくならなければならない筈だからです。

ブラッグのイオン化曲線

アルファ線の作るイオン対の数は残余エネルギーに逆比例

この謎に対する答えは、1904年に結晶回折で有名な W. ヘンリー・ブラッグによって与えられました。ブラッグ父子の父の方になります。彼は空気中に置かれたラジウム塩から発せられるアルファ線について種々の距離において生成するイオン対の数を調べ、いわゆるブラッグのイオン化曲線を得ました。これによって、各放射性原子はそれぞれ

固有且つ一定の飛距離（飛程）を持つアルファ線を放出すること、また
たアルファ線が吸収体中を進むにつれて吸収層の単位厚み当たりに作
られるイオン対の数は残余エネルギーに逆比例して増加することが明
らかとなりました。

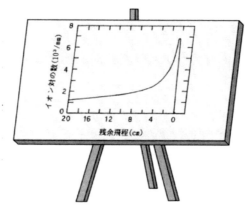

図1.2　ブラッグのイオン化曲線

　さらに、1907 年にはラザフォードがアルファ放射性原子の寿命とア
ルファ粒子の飛程との間にある種の関係があることを予言しましたが、
この予言は後にラザフォードの弟子のガイガーとヌッタールによって
数式化されました。ガイガー＝ヌッタールの法則と呼ばれるこの式は、
アルファ線の飛程が長い（エネルギーが高い）程放射性原子の寿命は
短くなることを示しています。

放射線の正体

放射線は高速荷電粒子の流れ

　また、磁場および電場による偏向の実験がより精緻に行われ、アルファ線、ベータ線はいずれも高速荷電粒子の流れであると認識されるようになりました。1900 年には、キュリー夫妻が、磁場におけるベータ線の進路の曲がり方から、ベータ線は負の電荷を持つと結論しています。さらに、ピエール・キュリーはベータ線の進路に置いた絶縁した金属板上に負電荷が溜まっていくことにより、このことを直接的に証明しました。一方、ベクレルはベータ線について電荷量と質量の比を測定し、その値が 1897 年に J. J. トムソン（ケルビン卿）によって電子の流れであると証明された陰極線によく似ていることを認めました。

アルファ線は高速ヘリウム原子

　1903 年、ラザフォードはアルファ線もまた磁場・電場で曲げられることを初めて観測しました。アルファ線を大きく曲げることのできる程強力な磁石を手に入れたことで可能になった実験でした。それによって測定したアルファ粒子の電荷対質量比（e/m）は、電子のそれよりもむしろ放電管内の陽極線粒子の値程度でした。3 年後に彼はアルファ線の e/m を正確に測定し、水素イオンのほぼ半分の値を得ました。このことから、彼は、アルファ線が、1 ヶの電子を失った水素分子か、2 ヶの電子を失ったヘリウム原子のいずれかであろうと推定しました。一方でラムゼイとソデイは、臭化ラジウム試料から絶えずヘリウムガ

スが生成していることを示しています。

1908 年、ラザフォードとガイガーは、一方でアルファ線粒子の持つ全電荷を測定し、他方でアルファ粒子の数を数えました。その結果から、彼等はアルファ粒子 1 ヶの持つ電荷を求め、それが電子の電荷の 2 倍であることを導きました。1909 年には、ラザフォードとロイズはアルファ粒子がヘリウム原子の高速の流れであることを証明する有名な実験を行い、この問題に最終的な決着をつけました。

図1.3　放射線は
3種類に分かれる

ガンマ線の発見

アルファ、ベータ線に次ぐ第三の放射線が、1909 年にビラードによって発見され、ガンマ線と名付けられました。すでにこの時点で、ビラードはガンマ線が太陽光線と同じ電磁波の一種ではないかと示唆していますが、その実験的証明は 1911 年にラザフォードとアンドレードによってなされました。彼等は結晶によるガンマ線の回折実験に成功し、測定した波長からガンマ線が波長のごく短い X 線に相当し、電磁波の一形態であることを明らかにしました。

コラム 1　アルファ線が高速のヘリウム原子の流れであることを証明したラザフォードたちの実験

　この実験は、非常に薄くかつ均一な壁厚を持つガラス毛細管を作る技術を持ったガラス工を得ることで可能となりました。実験に用いられた装置を図に示してあります。図中の A は 1/100 ミリ以下の均一な壁厚（空気層 2 センチの示す阻止能に相当）を有する長さ 1.5 センチのガラス毛細管です。以下に実験の手順を示します。

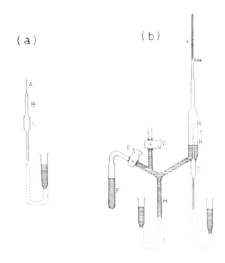

図1.4　α粒子がHe原子であることを証明したRutherfordとRoydsの実験装置

イ）140 ミリグラムのラジウムと平衡にあるエマネーションガス（ラジウムが壊れてできる子供のラドン、何故か子供は娘核と呼ばれます）を精製し、水銀カラムの操作で、図の a に示すように、ガラス管 B から A に注入する。

ロ）硫化亜鉛シンチレーターを用いてアルファ線の到達度を調べる。封入直後は A の壁近くでは蛍光が観測されるが、壁から 3 センチ離れると蛍光が見られなくなった。

ハ）封入後、1 時間経過すると、壁から 5 センチ離れた位置でも硫化亜鉛の蛍光が見られた。

ニ）円筒状のガラス管 T（直径 1.5 センチ、長さ 7.5 センチ、先端に放電管 V を持つ）を、図の b の如く A の周りを囲むようにすり合わせ、C で接合する。

ホ）コック D を通して T の内部を排気し、さらに液体空気で冷却した活性炭で排気を完全にする。

ヘ）水銀溜につながれた H の水銀を A の下端まで T に入れる。

ト）一定時間経過後、水銀柱をさらに上昇させて、内容物を V に押し込め、分光分析を行う。24 時間後では何らスペクトル線を認めなかったが、4 日後には緑黄色のスペクトルを、6 日後にはヘリウムの主要スペクトル全部を確認した。

チ）上の分析において、ネオンのスペクトル線が欠如していることを確認した。

リ）新しい装置を組み、エマネーションの 10 倍量のヘリウムを A に入れ、8 日経過しても T 内にはヘリウムのないことを分光分析で確かめた。

　この実験を解説すると以下のようになります。まず、ロ）は空気中で 4.3 センチメートルの飛程を持つエマネーションガスが確かに A の中に注入されたことを示します。その後 1 時間経過する間に、エマネーションが壊れて生じる娘の出す飛程 7 センチメートルのアルファ粒子が管内に溜まって来ることがハ）の操作で判ります。ニ）、ホ）、ヘ）の操作で完全に排気したガラス管 T の中に毛細管 A のガラス壁を通り抜けたアルファ粒子が溜まって来るのを待ちます。ト）ではアルファ粒子が透過して来るにつれガラス管内に溜まって来たのはヘリウム原子であることを示しています。しかも、チ）の操作によって、このヘリウムは空気が漏れ込んだ為ではないといえます。最後に、リ）の操作

によって、高速でない普通のヘリウム原子では薄い毛細管の壁さえも
透過できないことが証明されます。

第 2 章　原子の素顔

物質とエネルギー

2.1 エマネーションの発見

トリウム化合物の奇妙な振る舞い

ラザフォードと世界にとっての幸運

　すでに見てきたようにキュリー夫人に勝るとも劣らぬ活躍を続ける
ラザフォードは、1871 年に農園主の子としてニュージーランドに生ま
れました。当時、大英帝国では、本国居住者と同じように、海外領土の
子弟のためにも奨学金制度を設けていました。ラザフォードもこの奨
学金に応募しましたが、惜しくも次点となってしまいました。このま
まいけば、彼は一生ニュージーランドの片田舎に埋もれてしまう運命
でしたが、彼にとっても世界にとっても幸運なことに、1 位の学生（金
の精錬法の大家マクローリン）が家庭の事情で辞退したために、彼に
お鉢が回って留学できることになりました。彼はイギリス・ケンブリ
ッジ大学のキャベンディッシュ研究所を選び、1895 年から有名な物理
学者 J. J. トムソンの下で研究を続けることになりました。

空気の流れに影響されるトリウムの放射能

　ラザフォードは、トリウムの放射線がウランのように一定ではなく、
しばしば気紛れなばらつきを示すことに気が付きました。しかし、そ
の原因を追究する前に、カナダ・ケベック州の州都であるモントリオ
ールに新設されたマッギル大学に、物理学教授として赴任することに
なりました。1898 年、ラザフォード 27 才の時のことでした。赴任先

で、彼は同僚となった電気工学の研究者オーエンスに研究テーマについて相談され、トリウムの放射能の研究を勧めました。

　早速トリウムの研究を始めたオーエンスは、トリウムの放射能の奇妙な振る舞いの原因が測定時の周囲の空気の揺らぎにあることを突き止めました。実験装置を密閉容器の中に入れてやれば、放射能の強さは一定の値を示したのです。彼は、酸化トリウムの試料から何らかの放射性の発散物が出ていて、それが空気の流れによって著しく影響されるに違いないと考えました。しかし、ここでオーエンスはイギリス本国に職を得て去ったため、ラザフォードが彼の研究を引き継ぐことになりました。

エマネーションは減衰する！

トリウムの発散する放射性粒子

　ラザフォードは、トリウム化合物がウラン放射線と類似の放射線の他に、ある種の放射性粒子を絶えず発散していることを認め、これをエマネーションと呼びました。正体不明のばくぜんとした性質の発散物をエマネーションと呼ぶ例は、17 世紀の有名な化学者・物理学者 R. ボイルなどにも見られます。

　エマネーションは空気の流れによって運ばれ、そのため本来放射能の届かない筈のところでも放射能を呈するようになります。この放射性粒子は、ウランと同じように写真乾板の感光作用や空気をイオン化する作用を持ちます。エマネーションは、電場の影響を受けないこと

から、電荷を持たず、イオンではないことが判ります。さらに、エマネーションはボール紙を透過し、金属箔も薄ければ通り抜けます。また、綿栓を通過しても、その放射能を減じることもありませんし、水や硫酸をくぐらせてもなんら影響が現れません。

放射能が減衰した！

エマネーションの放射能の強さは、時間が経つにつれて減衰しました。イオン化電流の測定によると、約1分で半減し、10分後には測定できない程になることが見出されました。これによって初めて、放射能が減衰することが知られることになりました。

ラザフォードがこのトリウム・エマネーション（トロン）を発見した同じ1899年に、ドーンによってラジウム・エマネーション（ラドン）が発見されました。これは同位体の最初の発見例になります。さらに、1903年には、デビエンヌによってもう一つの同位体であるアクチニウム・エマネーション（アクチノン）が発見されています。

エマネーションの正体

新進の化学者ソデイが加わる

1899年、化学の知識を必要としていたラザフォードの研究室に、22才の新進の化学者ソデイが加わり、以後僅かの間に画期的な成果を挙げることになります。ラザフォードの研究室の一員となったソデイは、

早速エマネーションを化学的に同定する研究にとりかかりました。彼は、エマネーションを、常温または高温下で、金属マグネシウム、白金黒、パラジウム黒、クロム酸塩、亜鉛粉末などの層に通す実験や、固体炭酸とエーテル混合物で冷却する等様々な実験を行い、それがアルゴン族の不活性気体以外のものではありえないという結論に到達しました。

エマネーションを液化する

　エマネーションが気体であることの決定的な証拠はエマネーションを液化して見せることで得られました。1902 年、事業に成功したカナダのマクドナルドというタバコ業者が、地元に貢献することを思い立ち、ラザフォードの希望によって空気液化装置をマッギル大学に寄付しました。早速、ラザフォードとソデイはこの液化装置を働かせてエマネーションの液化実験に取り掛かりました。まずテストのために空気の液化を試みました。"カナダの空気が初めて液化され"、100 ミリリットルの液体空気が作られた僅か 15 分後には、液化したエマネーションが得られていたといわれます。これによって、エマネーションが物質的なものであること、しかも気体であることを示す決定的な証拠となりました。

　その頃、キュリー夫妻の実験室では、ラジウムが付近に置かれた他の物質に一時的に放射能を"感染"させることが見出され、それを誘発放射能と名付けました。しかし、ラザフォードはその原因がエマネーションにあることを突き止めました。エマネーションが飛来した先で崩壊してその子供の放射性物質が沈着することが原因でした。この

ため、彼はこの放射能を放射性沈積物と呼ぶことを提唱し、以後この呼び方が受け入れられることに成りました。

2.2 トリウムは壊れている

ベクレルの実験は間違い？

ウランの放射能が消えた！

1900 年、ウランの放射能の研究を思い立ったクルックスは、まず試料を精製することにしました。彼が硝酸ウランをエーテル抽出と再結晶操作によって精製したところ、そのウラン試料は写真乾板に対して感光作用を示さなくなってしまいました。一方、水相に残った部分は放射能を示しました。このことから、クルックスは、通常ウランの放射能と考えられているものは実はウランに微量に含まれている他の物質に由来するものではないかと考え、この放射性物質をウラン X と名付けました。さらに、彼はこのウラン X がポロニウムやラジウムなどと化学的挙動を異にすることを示しました。

ウランの放射能の発見者であるベクレルとしてはこのクルックスの報告は無視できません。直ちに追試を行ったところ、やはりクルックスと同じ結果が得られました。しかし、自分の行った実験に自信を持っていたベクレルは、クルックスの解釈には同調しませんでした。もしクルックスのいうように、ウランの放射能が不純物に由来するのであれば、その強度は不純物の含有量によって変動する筈であり、これ

は自分が確認した放射能強度がウランの量のみに比例するという事実に矛盾するからです。果たせるかな、18ヶ月後にベクレルが同じ試料を調べたところ、一旦放射能を失ったかにみえたウラン塩は完全に放射能を回復しており、逆に強放射性であった硫酸バリウム成分はすっかり放射能を失っていました。

　この奇妙な現象の答えはソデイの追試によって見出されました。彼は、放射能の検出方法として、感光作用の他にイオン化電流を測定する方法を併用しました。その結果、精製したウラニウム塩はイオン化作用を示し、一方、ウランXは感光作用を呈したのでした。前者がアルファ放射能、後者がベータ放射能を持っていたことが原因でした。

トリウムXからエマネーションへ

新しい物質が生成する化学変化、錬金術の復活？

　1902年のクリスマス休暇の前後にかけて、ラザフォードとソデイは水酸化トリウムの試料の中にトリウムXを発見しました。水酸化トリウムが失った放射能の半分を回復するのに要する時間は、トリウムXがその放射能を半分失うまでの時間と等しく、共に約4日でした。トリウムXはキュリー夫妻の言うところの誘発放射能を与えますが、そのものは減衰の速さその他から見てエマネーションの与える放射性沈積物と考えられます。これら一連の成分、トリウム、トリウムX、トリウム・エマネーションおよび放射性沈積物は互いに化学的に分離可能です。このことから、放射能は原子の変化する現象であり、新しい種

類の物質が生成する化学変化に伴うものであると結論されました。トリウム X が減衰してゆく様子を見守りながら、ソデイは傍らのラザフォードに向かって「ラザフォードよ、こいつは変換だ。トリウムは壊れている」と叫んだと伝えられています。

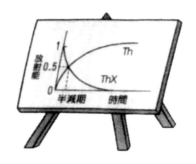

図2.1　ThXの減衰とThの回復速度の関係

　ラザフォード達に幸いしたのは、ウラン X に比べてトリウム X の減衰する速度が 7 倍近く大きかったことでした。そのため、図に示した生成減衰曲線を比較的簡単に調べ上げることができたのです。

放射能の過程は原子内部の変化

　ここで大事な事は、"ウランやトリウムは絶えず X 物質を生成"しており、この X 物質は放射能を失う傍らエマネーションを発生させ、さらに"このエマネーションは放射性沈積物に変わる"ということです。ラザフォードとソデイは、この事を整理して、「全ての放射性元素は一つの化学原子から他へと自発的に変換を起こし、それに伴って放射線が放出される。放射能の過程は原子よりもう一つ内部（サブアトミック）のレベルの変化である。」という元素壊変仮説を提出しました。1903年のことです。ただし、原子核という考えが出現するのは 8 年後のことです。錬金術の復活でした。

錬金術の復活

"物質の変換" は化学の領域

　鉛を金に変えようとする錬金術は中世に大流行しました。万有引力の発見で有名なあのニュートンでさえ、研究時間の大半を錬金術に費やしたことは良く知られています。しかし、誰一人成功する者は無く、完全な失敗に終わりました。"錬金術師" という呼び名は、化学者にとって最大の侮辱となりました。元素変換説が如何に衝撃的なものであったかは容易に想像できると思います。そのために、ラザフォード達の発表は仮説という控え目な形でなされました。ともあれ、ラザフォードはこの功績に対して 1908 年度のノーベル化学賞を授与されました。しかし、自分を物理学者と見なしているラザフォードは、物理学賞でなく、化学賞を与えられたことにいささか当惑したといわれています。これは彼等の業績が、"物質の変換" という観点から見て化学の領分であると見なされたためでありましょう。

　数々の偉大な業績を挙げたラザフォードでしたが、彼はこのトリウム X についての仕事を大変誇りにしていた様です。その証拠に、彼の偉大な業績に対してイギリス王室から爵位を与えられてラザフォード卿と呼ばれることになった時、自己の紋章にトリウム X の生成減衰曲線を組み入れた図柄を採用しています。

放射能が秘める莫大なエネルギー

エネルギー保存則は救われた！

1905 年、アインシュタインが特殊相対性理論を発表し、エネルギーと質量の等価性が与えられました。すなわち、質量もエネルギーの一形態であり、エネルギーと質量は互いに入れ換わり得るということです。それによると、1 グラムの物質を完全

図2.2　1gの物質は御母衣ダムの水を1度上昇させる

に熱に変えると約 100 兆（10^{14}）ジュールという途方もない熱量となります。これはちょうど岐阜県の御母衣ダムの水を 1 度上昇させるに必要な熱量に等しくなります。逆に、ウランの放射線が持ち去るエネルギーを賄うためには検知できない程、極微量の質量の減少で足りることになります。これでようやく、一見エネルギーの補給無しに、なぜウランが放射線を出し続けていられるように見えるのかという疑問が解け、エネルギー保存則の危機は救われました。

放射能は指数関数的に減衰する

一方で、トリウム X のように減衰する放射能について定量的な調べ

が進められた結果として、ラザフォードは放射能が指数関数的に減衰することを経験的に見出していました。1905年になって、シュヴァイドラーが、放射性元素の特定の原子^{注1)}がある微小時間内に壊変する確率は過去の履歴、現在の状態によらず、その微小時間の長さのみに比例するという仮定の下に、統計的手法によって、ラザフォードの見出した経験則に一致する壊変式を導きました。

　指数関数的な放射能の減衰の特徴は、どの時点から測っても始めの放射能量が半分に減るまでに要する時間が同じであることです。そして、この時間は、それぞれの放射能に固有の値を持ち、半減期と呼ばれます。半減期はエネルギーと共に放射能の同定にも使われ、非常に重要な物理量です。

2.3　ラザフォード散乱と原子模型

原子は構造を持つ

原子の質量は正に帯電した部分に局在する

　1897年のJ. J. トムソンによる電子の発見を契機として、それまで分割不可能と考えられていた原子が、ある種の構造を持つに違いないと考えられるようになりました。トムソンその他の人々によるX線、電子線による物質の散乱実験の結果、一原子当たりの電子数は近似的に原子量に等しいことが結論されました。さらに、トムソンは、電子の質量が水素原子の約2千分の1であることを決定しました。この結果

として、原子の質量のほとんどは正に帯電した部分に局在するという仮定が引き出されました。

　それでは正と負の電荷は原子内でどのように分布しているのでしょうか？　トムソンは、原子模型として、原子全体に拡がった正の電荷の中に電子が一様に埋め込まれた構造を提案しました。これに対し、ラザフォードや長岡半太郎は、正に帯電した核の周りを電子が惑星のように回っている太陽系模型を考えました。

注 1)　元素が化学的に純粋な物質の集合体を表す言葉として用いられるのに対して、原子は元素を構成する一つ一つの粒子を意味する言葉として使われます。

ラザフォードの太陽系模型

トムソンの原子模型では説明できない

　この二つの模型のどちらが妥当であるかの答えは、ラザフォードが行った薄い金属箔によるアルファ粒子の散乱実験で与えられました。散乱実験によって、箔を通過するアルファ粒子の幾つかは最初の方向から外れること、しかも、そのうちのあるものは大きく 90 度以上も曲げられる（大角散乱）ことが観測されました。この現象が静電力によって惹き起こされることは明らかでしたが、当時有力であったトムソンの原子模型では説明できないことが、ガイガーとマースデンによって示されました。

散乱原子の電荷量を与えたラザフォード散乱

これに対して、ラザフォードは、彼の太陽系模型によって、このアルファ粒子の大角散乱が見事に説明できることを示しました。すなわち、このアルファ粒子の大角散乱は中心の正電荷によるクーロン散乱であり、この際、周囲を回っている電子の効果は無視できることが示されま

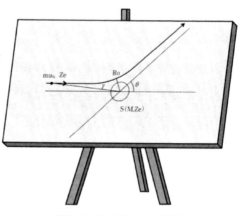

図2.3　ラザフォード散乱

した。ラザフォードが導き出した散乱公式を使えば、入射粒子の電荷、質量、初速度および散乱原子の電荷、質量が与えられれば、入射粒子が任意の方向に散乱される確率を計算することができます。逆に、ある特定の方向に散乱されるアルファ粒子の数を数えれば、散乱公式から散乱原子の持つ電荷量が求められる訳です。

原子番号は原子の電荷量

支え合うモーズレーの法則とボーアの原子構造理論

その結果得られた散乱原子の電荷量は、電子の電荷量を単位として表すと、何と元素の原子番号と一致したのです。この重大な結論が全ての元素に普遍的に当てはま

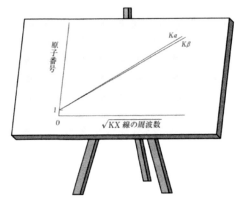

図2.4 モーズレーの法則。２種類のKX線が放出されるため、直線は２本になる

る事を確かめることを、ラザフォードは若いモーズレーに託しました。モーズレーは、元素の出すKX線[注2]）の周波数の平方根が原子番号から1を引いた数に比例するという見事な結果を見出し、師の期待に応えました。

ニールス・ボーアはマックス・プランクの量子仮説をラザフォードの原子模型に適応して原子構造理論（ボーア模型）を作り上げましたが、この理論はモーズレーの法則を見事に説明し、そのことは同時にモーズレーの法則がボーア理論の正しさを証明する有力な実験事実の一つにもなりました。

注2）　原子の中の電子は、正に帯電した核の、周りを回る軌道を描いています（第5章参照）が、電子が外に飛び出すと軌道に穴が開いて、その穴に向かって外側の軌道から電子が落ち込み、その際に X 線とし

てエネルギーを放出します。一番内側の軌道に穴が開いた時に出る X
線を KX 線と呼び、以下外側の軌道に対して、順に LX, MX, NX…等と呼び
ます。

原子番号の持つ意味が明らかになった

それまでは単なる周期表中の順番という意味しか持たなかった原子
番号に、原子の核が持つ正電荷量という物理的な意味があることにな
りました。それと共に、元素を区別する量（パラメーター）としては、
原子量よりは原子の持つ正電荷量の方が相応しいことも判りました。
メンデレーエフの周期表の中で順番が逆転していた 3 ヶ所の矛盾も、
この新しいパラメーターを採用すれば消えて無くなりました。

コラム 2　巨人ラザフォード

ラザフォードはまさに不世出の巨人でありました。当時のラザフォ
ードの研究室の活気は、正に驚嘆に値します。そこではノーベル賞級
の第一級の発見が毎週のように報告されていました。ところで、研究
室で保有していた道具といえば、キュリー研究室から手に入れたラジ
ウム線源の他には、一組の金属箔、磁石、遮蔽用の鉛煉瓦、それと放射
線を検出するための蛍光材やイオン化電流を測ったり電場を発生させ
るための電子器具程度で、特別高価な装置を持っていたわけではあり
ませんでした。

間違い無く、ラザフォード研究室の装備は、他の世界中の研究室と

似たようなものであった筈であったにも拘わらず、なみいる競争者を押さえて、ラザフォードの研究室の独壇場のような結果に終わったのは大きな謎です。そこがラザフォードの天才である所以であるという一言で片づけてしまうのには、何かもう一つ納得のいかないところがあります。

　これについては、クラウザーが彼のラザフォード伝の中で述べている言葉が最も真実を突いているように思われます。彼の言によれば、"ラザフォードは最も単純な概念を基に研究したばかりではない。いくつもの見事な実験を、簡単な器械で行なったのである。ラザフォードの業績の最も非凡な特色は、このように単純な概念と簡単な器械とで、あれほど深遠且つ重要な成果をもたらしたことである。このためラザフォードの才能の分析は非常に困難である。（中略）ラザフォードのすぐれた素質は正常のものであり、けっして特異のものではなかったが、その程度が超標準的であった。"ということになります。

2.4　原子核の構造

原子は隙間だらけ

原子核の大きさを測る

　ラザフォードの行ったアルファ粒子散乱実験は、原子模型の検証と核電荷の決定を行ったのみならず、原子核の大きさについての情報を最初に与えるものとなりました。それによれば、原子核の大きさは 10

兆分の 1（10^{-13}）ないし 1 兆分の 1 センチメートルの程度であり、したがって原子サイズの高々 1 万分の 1 程度しかありません。原子核をテニスボールに例えますと、1 キロメートル離れた場所を電子が回っていて、その間には何も無い空間が拡がっている勘定になります。さらに、その後の様々な実験によって、原子核の半径は質量数の立方根に比例する、すなわち核の体積は質量数に比例するという結果が得られています。

　原子質量と原子核の大きさから原子核の密度を見積もることができます。それによると、密度は 1 立方センチメートル当たり 100 兆グラムのオーダーで、原子核は通常の物質より遥かに密であることが判ります。また、ほとんどすべての質量が核に集中していることから、放射性壊変が原子核の過程であることも明らかとなりました。

ソデイの同位体説

ソデイの同位体説と放射壊変則

　1914 年、ソデイは同位体という概念を発表しました。すなわち、放射壊変で生じる異種元素の中には周期表の同じ場所に置くべきものがあると提唱し、それらをアイソトープ（同位元素または同位体）と命名しました。そして、アルファ線を出して壊変した場合には質量が 4、原子番号が 2 だけ減少した元素ができ、ベータ線の放出の際には質量数は変わらず原子番号だけが 1 つ増える元素が生成するという壊変則を確立しました。また、壊変生成物は最終的には安定な鉛に落ち着く

ことも見出しています。この同位体に関する業績により、ソデイは1921年にノーベル化学賞を贈られました。

質量分析器の開発と安定同位体の発見

ソデイの同位体説が発表される1年前の1913年、J. J. トムソンはネオンNeに20と22の2つの安定同位体があることを見つけ、後にネオンの21も安定同位体であることを見出しました。これによって、同位体は放射性元素だけでなく安定元素にも存在することが判りました。その後、アストンが、自ら開発した質量分析器を使って次々と安定同位体を発見し、これによって殆ど全ての元素は複数個の同位体の混合物であり、各同位体の質量は極めて整数に近いことが明らかにされました。

ところで、当時はまだ中性子が発見されていなかったため、質量A、原子番号Zの原子核はA個の陽子と（A－Z）個の電子から構成されていると見なされました。しかしながら、この原子核モデルには次の2つの難点がありました。

（ⅰ）核内に自由電子が存在するためには、そのド・ブロイ波長[注3]は核の大きさ以下でなければならないが、そうすると電子のエネルギーはベータ壊変に対して観測されるエネルギーよりひと桁以上大きくなければならない。

（ⅱ）原子核の持つ角運動量と統計に矛盾する。

注3）　量子力学によって、電子や中性子のような微小粒子は、粒子としての性質に付随して、波としての性質が現れることが明らかにされ

65

ました。逆に、光には粒子としての性質が見られ、その性質に着目するときには光子と呼ばれます。そして、電子等の粒子の示す波動性をド・ブロイ波と呼びます。

ラザフォードの予言

中性子の予言と発見

　この困難を克服するために、ラザフォードは、1920年に陽子と電子が固く結び付いた中性子（ニュートロン）の存在を示唆しました。ラザフォードの予言した中性子を見付けようという試みが幾つも失敗したあと、1932年になって、チャドウィックがベリリウムとほう素をアルファ粒子で照射した時に生じる、非常に透過力の強い放射線を調べて中性子を見付けました。中性子は一次電離作用を起こさず、自由状態では不安定で、半減期11分で陽子と電子に壊変します。そして、中性子の質量は、陽子より約0.08%だけ大きいという結果が得られました。中性子の発見によって、核の陽子―電子模型はすみやかにZ個の陽子と（A－Z）個の中性子からなる陽子―中性子模型に取って代わられ、全ての矛盾が消滅しました。原子そのものは中性ですから、原子としてはこの原子核の周りをZ個の電子（軌道電子）が取り巻いている構造になります。

同位体の質量は整数に近くなる

　水素原子と中性子の質量が殆ど等しく、1に極めて近い価を取り、他

方、電子の質量が無視できることから、すべての同位体は整数に極めて近い値となります。質量分析器による研究の結果、1番から83番までの殆どの元素は2個以上の安定同位体から構成されていることが明らかになりました。安定同位体の最も多い元素は錫で10個を有します。逆に、ただ1つの安定同位体しか含まない元素はベリリウム、フッ素、ナトリウム、アルミニウム、燐等20元素に過ぎず、いずれも奇数の原子番号を持つ元素です。同位体のことを核物理の分野では核種と呼びます。核種を表すのには、^{14}Nのように、質量数を左肩に付けた元素記号を使います。原子番号も同時に記したいときには、元素記号の左下に原子番号を付けます。

周期律の謎が解けた

原子量が定義できるのはなぜ？

　一般に、元素の持つ安定同位体は一定の割合で存在します。このことは、複数の安定同位体から成る元素に対しても原子量を定義することを可能にします。ある意味では、これは大変幸運なことでありました。もし安定同位体の混合比が扱う試料ごとに違っていたならば、原子量を決めることができず、少なくとも化学の発展は大きく阻害されたことでしょう。メンデレーエフの周期表の中の3ヶ所で原子量の順番が逆転している理由もこれで理解できます。
　例外として、ウラン、トリウム鉱石中の鉛の同位体比、ルビジウムを含む岩石中のストロンチウムの同位体比等は一定になりません。前

者は、壊変系列の最終生成物である質量数206、207および208の鉛同位体が親のウランやトリウムの壊変と共に蓄積してくるためであり、後者はルビジウム ^{87}Rb のベータ壊変の結果としてストロンチウム ^{87}Sr が増えるためです。このことを逆に利用して、年代測定を行うことができます（第6章参照）。

コラム3　スピンと統計

　陽子や中性子は核子と総称されます。量子力学によると、全ての核子はその運動状態に無関係に固有角運動量を持たねばなりません。この固有角運動量は方向を持つベクトル量です。これは、古典的イメージとしてコマが回転している状態に相当します。核内の座標に対しては、核子のスピンは上向き（＋1/2）か下向き（−1/2）のいずれかの配向を取ります。したがって、原子核内に偶数個の核子があればスピンの総和は0か整数になり、奇数であれば核スピンは半整数にならねばなりません。たとえば、質量数14の窒素Nのスピンは陽子―電子模型では半整数、陽子―中性子模型では整数になる筈ですが、実際に観測された ^{14}N のスピンは1でした。

　次に量子統計力学の教えるところによれば、核子の数が奇数、したがってスピンが半整数の原子核はフェルミ―ディラック統計に従い、核子の数が偶数すなわちスピンが整数の原子核はボース―アインシュタイン統計に従います。そして、現実の ^{14}N はボース―アインシュタイン統計に従うことが判っています。このこともまた、陽子―中性子模

型が正しいことを示します。

2.5 相対性理論

ニュートン力学と矛盾する光

光の速度は変わらない

19世紀に入ると電気と磁気に関する研究が進歩しましたが、マクスウェルはそれらの結果を集大成する形で、電磁波の振る舞いを記述する基本的な方程式を発見しました。その結果、光もまた電磁波の一種であり、光源の運動状態の如何によらず、真空中を秒速30万キロメートルという速度で伝わることが導き出されました。ニュートン力学では、波の伝播にはこれを媒介する"媒質"がなければなりません。そのため、当時は光の媒質として全宇宙は"エーテル"で満たされており、光は静止したエーテルの中を進むと考えられました。

そうであれば、エーテル内を動いている地球上では、ニュートン力学の教える相対性によって、光の速度は異ならなければなりません。ところが、1887年にマイケルソンとモーレーが光の干渉効果を利用した実験によって、地上でも光の速度は変わらないことが示され、物理学者を大いに悩ませることになりました。

常識を覆した相対性理論

　この問題に解答を与えたのはアインシュタインでした。彼は、光源の運動状態によらず光の速度は常に一定であるという観測結果と、慣性系では力学法則が不変であるというガリレイの相対性原理のみから出発して、特殊相対性理論を打ち立てました。ここで、慣性系とは他から一切の力が働かずに一様速度で動いている座標系のことです。

　こうして導き出された相対論の内容は、人々の常識を覆す驚くべきものでありました。まず、アインシュタインは、彼の方程式の中で時間をわれわれが身を置いている三次元空間と同等に扱い、空間軸と時間軸を合わせた四次元の時空という概念を打ち立てました。つまり、私たちは三次元空間ではなく四次元時空に身を置いているとしたのです。このことは、これまで互いに独立な物理量であるとされて来た時間と空間がもはや独立ではなく互いに密接に関連しあっていることを意味します。絶対的な枠組みであるのは、この四次元時空であり、この幾何学的性質を明らかにしたミンコフスキーの名を冠してミンコフスキーの時空と呼ばれています。そして、なにものも光速以上の速度で動くことは出来ません。

時計が遅れる！

成り立たなくなる同時性

　ミンコフスキー時空では、時間の同時性が満たされなくなります。

離れた場所で起った二つの事件を時間的に関連付けるためには、それぞれの場所に置かれた時計が同じ時刻に合わされていなければなりません。その調節を二点間に光を往復させて行わせますが、光は有限の速度でしか伝わりませんので、光が往復するのに要する時間を計算に入れて時間を決定しなければなりません。したがって、ある観測者にとって同時に見える出来事が、その観測者に対して動いている観測者には同時には見えないことになります。

この同時性が成り立たないことと同じ理由で、観測者に対して運動している座標上の時計の針の動きが遅れることと物の長さが縮むことを理解することができます。線路のわきに立っている観測者は、自分が発した光が通り過ぎる電車に乗せられた時計で反射して戻って来た瞬間に、自分の時計と時間を合わせます。1秒後には電車の上の時計は少し先に進んでいますので、時計から届く光は1秒前より少し長く斜めの距離を走ることになり、したがってそれだけ時間が遅くなる訳です。

長さが縮む

次に、物の長さを測るという行為について考えてみましょう。静止している棒の長さは物差を当てることによって測ることができます。では、観測者に対して棒が縦に動いているときにはどうでしょうか？このときには、動いている棒の両端の位置を同時に確定してその二点間の距離を測らねばなりません。この同時性は、観測者が棒の両端に向けて送り出した光が反射して同時に戻って来たときをもって保証されます。しかしながら、棒の先端を往復した光の方が、後端を往復し

た光よりも常に時間が長くかかりますので、その遅れを保証してやらなければならず、その分だけ長さが短いことになるのです。

コラム4　双子のパラドックス

　特殊相対論では、相対運動をしている二つの時計は互いに相手よりゆっくりと時を刻むことが導かれます。その変化の割合は、それぞれの時計が乗っている二つの座標系の間の変換係数 $\gamma = 1/(1-\beta^2)^{1/2}$ で与えられます。ここで β は両者の間の相対速度 v と光速度 c の比を表します。相対速度が速度の80%であるとき、γ は 5/3 になり、これは事象の進み方がそれだけ遅くなる、すなわち時計が遅れることを意味します。

　地球から見た宇宙船の時計は遅れていると同時に、宇宙船上の人が見た地球上の時計も同じだけ遅れて見えます。それなのに宇宙を高速で旅してきた旅人は、地球に残っていた人間よりも若くなっているのはなぜか？　これが長い間相対論を学ぶ人を悩ませてきた「双子のパラドックス」です。この難問に対して、P. C. W. デイヴィスが与えた明快な解答を紹介しましょう。

　双子の兄弟のAがロケットに乗って、光速の80%の速度で地球から10光年の距離にある星に行って戻ってくることを考えます。地球時計によれば、その星に到達するのには12.5年かかることになりますが、相対論効果により、到達時ロケット上の時計は7.5年しかかかっていません。一方、地球上に残っている双子Bがロケットの到着を確認するのは、到着と同時に星から出た光が到達する、さらに10年後の22.5

年後になります。つまり、Aにとっては時間が1/3に短縮されたのです。AとBとで事象は全く対称になりますから、到着の瞬間にAが振り返ると、2.5年後の地球を見ることになります。この1/3という因子は、相対論効果3/5と光源が観測者から遠ざかる影響、ドップラー効果1／（1+0.8）＝5/9が掛け合わさった結果です。

　帰りの旅行では、ドップラー効果が進行速度を早めるように作用します。その因子は、(3/5)×1／（1−0.8）＝3になり、事象の進行が3倍に早められるのです。地球上に留まり続けるBの時計では、往復旅行全体で25年かかります。Aの星への到達を見たのは22.5年後ですから、Bは帰りの旅行を2.5年に短縮して見ることになります。

　一方、Aから見れば、帰りの旅行時間も7.5時間かかるので、Bはこの7.5年分を2.5地球年の間に見ることになり、Aは22.5年間の事象を7.5年間の間に詰め込んで見ることになります。

　結論として、Aが15ロケット年を経過して地球に戻った時、Bは25年を過ごしており、差し引き10年の差が生じたのでした。これで明らかなように事象の進行速度の遅れは、単なる見かけの現象ではなく、現実の物理現象なのです。両者の間に差が生じたのは、Aが往きと帰りで別の座標系に移ったために、旅行全体がAとBで対称でなくなったことにあります。

　相対論効果はまた距離を縮めるように働きます。地球から10光年の位置にあった星までの距離は、光速の80%の速度で動いている宇宙船では6光年ということになり、したがって、到達までの所要時間は7.5時間になります。

エネルギーと質量は等価

質量を持つ物体は光速を越えられない

　さらに、特殊相対論は、物体の重さまでもがもはや一定ではなく、運動の速度が速くなる程重くなること、そして速度が光速度に等しいときには無限大になることを示しています。このことは、質量[注4]を持つ物体は絶対に光速度まで加速されないことを意味します。運動する物体にエネルギーを注ぎ込めばスピードを速めることができますが、光速度に近付く程加速しにくくなります。このことは、慣性質量は速度が増す程増加することを意味します。つまり、注ぎ込んだエネルギーは運動エネルギーにならずに質量として貯えられるのです。このエネルギーと質量の同等性は、アインシュタインの四次元方程式の中でエネルギーを定義し直す際に導き出されました。

　このような常識外れなことがなぜこれまで見逃されていたかといえば、このような現象が認められるのは運動速度が光速度に近い場合に限られており、私たちの日常生活では起こり得ないことだからでした。このようなことが起こるのは、原子や素粒子といったミクロの世界か外宇宙空間においてだけです。

注4）ここで言う質量とは慣性質量のことで、私たちが地表で感じる重さとは本質的に違うものです。走っている電車に乗っている人は電車が急に止まると、そのまま身体が前に行こうとする力を受けます。この力が慣性力です。一般に、物体に力が働くと、その力に比例し、質量に反比例する加速度が生じます。これが慣性質量と呼ばれる物理量で、

これに対して、重力の影響下で私たちが感じる重さは重力質量と呼ばれ、両者は区別されねばなりません。

　これら二つの質量は、地球表面という環境では同じになりますが、深海や宇宙空間のように、異なる環境では異なった値をとります。一方慣性質量は静止した状態では不変ですから、重力質量がゼロになる宇宙空間でも地表で受けるのと同じだけの慣性力が働くことになるのです。

コラム5　無限集合と超限集合

　おそらく最高の数理論理学者の一人であるポール・エルデシュを始めとする彼の仲間たちは、数の無限集合を扱う中で、無限を越えた超限集合の存在を意識しています。彼の最も親しい友人であり共同研究者であったロン・グラハムは、次のように述懐しています。「整数が厄介なのは、僕らが小さい数しか調べて来なかったことにある。もしかしたら、ことごとくエキサイティングなことは本当に巨大な数の領域で起きているかも知れない。僕らの手の届かない、どれ程特殊な方法をもってしても、考えたこともない数の中でだ。(中略)本当に巨大な数を把握したり、物事を何千何万もの側面から見たりするようには発達して来なかったのだ。」これはまさに、相対論や量子論に出合ったときに私たちが抱いた感想に通じます。数学の分野ではまだ姿を現していない超常の世界を、自然科学の世界では見せられることになったと言えるのではないでしょうか。

エネルギー保存則は救われた

質量は無尽蔵なエネルギー供給源

　私たちにとって、特殊相対性理論が与えた最も重要な結論は、エネルギーと質量が同等の物理量であり、互いに移り変わることができるということでしょう。アインシュタインが彼の四次元方程式から導きだしたエネルギーの項には、運動エネルギーの他に、その物体が持っている質量が含まれていました。この事実はミクロの世界の出来事を見事に説明することになりました。静止している物体は、その静止質量に光速度の二乗を乗じた量のエネルギーを持っています。そのため、ほんの僅かの質量がなくなっただけで、膨大なエネルギーが放出されることになります。これが、放射壊変に伴う一見無尽蔵と思われるエネルギーの供給源でありました。

　また、同位体について見るならば、重い同位体程、エネルギーの高い状態にあって不安定であることになります。すなわち質量は、同位体の安定性を判断する基準を与えます。さらに、原子核は陽子と中性子からなっていますので、それらの核子の間の相互作用を考察することで、原子核の質量、換言すれば原子量を半経験的に導き出す（第6章参照）ことができることになりました。

重力が消える！

質量が空間を曲げ空間の曲がりが重力を生む

　特殊相対性理論は、当時知られていた二つの力のうち、電磁気力を説明することはできましたが、もう一つの力である重力（万有引力）を説明することはできませんでした。それは、特殊相対論が、慣性系という重力を含まない系に対して展開されているからです。

　1907 年、アインシュタインは「落下する箱の中では重力が消える」という発想を得ました。エレベーターが急上昇すると体が重く感じられ、逆に急降下すると軽くなります。これは加速の向きと逆の方向に慣性力が働いて重力を打ち消すためと説明されますが、アインシュタインは、この慣性力を見かけの力と見なすニュートンと異なり、この慣性力と重力は同じとする「等価原理」を導入しました。

　自由落下する箱の中では重力は消えてなくなり、局所的な慣性系と見なすことができます。この箱の中に横に並べて置いた二つのりんごは、箱の外の人には箱と一緒に自由落下していると見えますが、中に乗っている人には同じ場所に静止しているように見えます。しかし、二つのりんごは地球の中心に向かって落ちていますので、両者の落下直線は平行ではなく、箱の中では、少しずつ近付くように見えます。アインシュタインは、このことを空間が曲がっていると解釈したのでした。質量が空間を曲げ、空間の曲がりが重力を生むとしたのです。

時空の揺らぎが重力を発生する

　アインシュタインは、重力のある時空はそれまでの平らでユークリッド的な時空でなく、曲がった時空（リーマン時空）であると考えたのです。リーマン時空では光さえも曲がることが予言されました。1919年の日食の日に、イギリスのエディントンらは、太陽の後方にある星の光が太陽の近くを通過する際に曲げられ、その結果、実際の位置からずれた場所に星が見えることを確かめました。その上、光の曲がる大きさも相対論が予言した値と一致したのです。こうして、一般相対性理論の正しさは証明されたのでした。一般相対論の登場によって、私たちは宇宙の仕組みを解明する手段を手にすることができました。

　一般相対性理論によれば、時空はそれ自体、動的に変化する物理現象ですので、時空のゆらぎ、すなわち重力波が存在すると考えられます。重力波は、星が潰れてブラックホールになるときのように、重力場が激しく変化するときに発生する訳です。残念ながら、重力波は地球に到達する頃には非常に弱くなっていて、検出するのは極めて困難ですが、何とかしてこれを捉えようとする努力が続けられています。

コラム6　非ユークリッド幾何学

　紀元前300年頃、ギリシャのユークリッドは、幾何学の多くの研究を体系化し組織化して、現在ユークリッド幾何学と呼ばれている、私たちにお馴染みの幾何学をまとめあげました。ユークリッド幾何学が依って立っている公理には、ⅰ）一点を通り与えられた直線に平行な

直線はただ一つ存在する、ⅱ）三角形の内角の和は 180°である、等があります。

　それに対して、リーマンは非ユークリッド的な幾何学を目指して、ⅰ）平面上の任意の 2 直線は必ず交わる、ⅱ）三角形の内角の和は常に 180°より大きいという公理の下に常識と全く異なる幾何学を作り上げ、1854 年に発表しました。これがリーマン幾何学と呼ばれるものです。リーマンの幾何学は、正の曲率を持つ楕円体面上の幾何学に対応しており、楕円型幾何学と呼ばれます。これに対して、ⅰ）直線 L とその上に無い点 P を与えると、P を通り L と交わらない直線が少なくとも 2 本存在する、ⅱ）三角形の内角の和は常に 180°より小さいという公理の上に成り立つ双曲型幾何学がロバチェフスキーによって作りあげられています。

　2 本の平行線が無限の彼方で交わるとしても良いではないかと考える数学者はリーマン以外にもいて、決して突飛な考えではなかったにしろ、非現実的なお遊びと思われていたリーマンの幾何学は、アインシュタインの相対性理論の登場によって、現実のものとなったのでした。それどころか、リーマンの幾何学は一般相対性理論の数学的土台という役割を担うことになりました。

第3章 元素が作られるまで

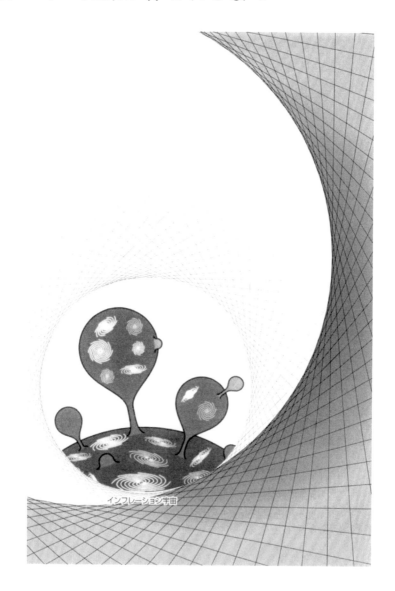

インフレーション宇宙

3.1 宇宙の始まり

ビッグバン宇宙

宇宙は超高温の火の玉として生まれた

　世の中には、放射性のものも含めて 90 程の元素が存在することをお話ししました。それでは、それらの元素はどうやって作られたのでしょうか？　この疑問に最初に答えを与えたのは、「不思議の国のトムキンス」の著者として有名な、ロシア生まれのアメリカの物理学者ジョージ・ガモフでした。彼は、1948 年に、元素を作り上げる料理場として、"熱い宇宙"という考えを生み出しました。この"熱い宇宙"という考えは、その後紆余曲折を経たものの大筋において今でも正しいと認められています。

　宇宙は超高温の火の玉として生まれたという、ガモフの「ビッグバン宇宙論」は、大成功を収めましたが、ビッグバンはどこからどのようにして始まったかを答えられないという限界がありました。この答えは後に一般相対性理論と量子論が合体した量子重力理論で用意されました。

　宇宙の誕生や進化について科学的に探求できるようになったのは、アルバート・アインシュタインのおかげです。彼は、1905 年に発表した特殊相対性理論から 11 年を経て、1916 年に一般相対性理論を発表しました。彼は早速この理論を宇宙に当てはめましたが、その解が安定せず、宇宙が膨張したり収縮したりするという予想外の結果になってしまいました。

アインシュタインの宇宙項

宇宙の誕生にとって重大な意味を持つ宇宙項

　当時宇宙は永遠に不変であると信じられていましたので、アインシュタインは、宇宙の収縮を止めるために、"宇宙項"を彼の宇宙方程式に付け加えました。彼は、数学上の破綻を救うために物理学の裏付けなしに、この宇宙項を恣意的に付け加えたことを"生涯の過ち"と悔やんでいましたが、実は、この宇宙項こそが、宇宙の誕生と進化にとって重大な意味を持っていることが、最近になって判ってきました。日本の佐藤勝彦とアメリカのグースがほとんど同時に発表した「インフレーション宇宙論」を基に、ビレンキンは「無からの宇宙創生論」を提唱しました。

宇宙はトンネル効果によって生まれた

　量子論によれば、非常に短い時間の中では、時間、空間、エネルギーが決まった値を取り得ず、絶えず揺らいでいます。宇宙は、このゆらぎの状態から、エネルギー障壁をくぐり抜けるトンネル効果によって、有限の大きさを持って突然生まれます。有限と言っても、その大きさは直径が 10^{-34} センチという途方もなく小さなミニ宇宙でした。また、それは量子論的に許される最小の時間単位である 10^{-44} 秒後のことでした。しかしこのミニ宇宙は、高い真空のエネルギーを持っていました。アインシュタインの宇宙項は高い真空エネルギーそのものを表しており、空間を急膨張させる駆動力だったのです。これが宇宙のインフレ

ーションです。

宇宙インフレーションと相転移

一旦生まれた宇宙はインフレーションを起こして進化する

　インフレーション膨張はビッグバン膨張よりも遥かに激しく、例え
ば、直径 1 ミリのミニ宇宙がわずか 10^{-34} 秒の間に 1000 億光年の大き
さに引き延ばされてしまう程です。ビレンキンは、いったん宇宙が生
まれると、消滅して再び無に戻るよりも、インフレーションを起こし
て膨張した方が宇宙のポテンシャル・エネルギーが低くなることを見
いだしました。自然は常にエネルギーの低い方向に移行します。つま
り、いったん生まれた宇宙はインフレーションを起こしてマクロ宇宙
へと進化するように運命付けられているのです。インフレーションの
最中、宇宙では真空の相転移が起き、高いエネルギーを持つ古い真空
がエネルギーの低い新しい真空に変わります。

　相転移は皆さんの身近でも良く見られます。それは水が蒸発したり
凍ったりする現象です。水が蒸発する時も相転移が一斉に起きる訳で
はなく、まず容器の底に小さな気泡が発生して、それが表面に上昇し
て表面に到達する形で部分的に起こります。それと同じように、宇宙
の相転移も古い真空の中に新しい真空の泡が次々と生まれてくる形で
起こるのです。

多重宇宙の発生

　この段階で、宇宙に劇的なことが起こります。新しい真空の泡に押しつぶされそうになった古い真空の領域が、インフレーションを起こして別の「子宇宙」へと進化するのです。親宇宙と子宇宙は全く別の世界であり、ワームホールと呼ばれる宇宙の虫食い穴によってつながっています。子宇宙もインフレーションをして相転移を起こすので、さらに"孫宇宙"が生まれることになります。こうして親宇宙が一つ作られると、そこから無数の子宇宙や孫宇宙が生まれます。これを"宇宙の多重発生"と言います。

　新しい真空が古い真空をすっかり覆ってしまったときには、古い真空は"ブラックホール"に変化してしまうと考えられています。ワームホールも新しい宇宙から見るとブラックホールと区別できません。ここまでくると、皆さんはSF小説を読んでいるような気持ちになられたことでしょう。逆の見方をすれば、あのH. G. ウェルズを始め、SF作家たちは、宇宙に対する深い洞察力もさることながら、実に良くサイエンスを勉強していると感心させられます。

火の玉宇宙の誕生

粒子と反粒子の僅かな差が我々の世界を生み出した

　さて、宇宙誕生から10^{-34}秒後、相転移によって一挙に解放されたエネルギーは宇宙を光のエネルギーに満ちた火の玉に変えました。この

瞬間が、まさに従来考えられてきたビッグバンに当たります。物質はこのビッグバンの中で、特殊相対性理論が導き出した質量とエネルギーの等価原理によって作り出されていきます。すなわち、宇宙を満たす光から X 粒子と呼ばれる素粒子とその反粒子が大量に作られました。やがて、X 粒子と反粒子は壊れ、代わりに現在の物質の最小の素粒子であるクオークとレプトン[注1] およびそれらの反粒子が大量に出現しました。

　粒子と反粒子は、互いに出会うと消滅してエネルギーに戻ってしまいます。これを対消滅と言います。膨張につれて宇宙の温度が下がると、これらの素粒子は運動エネルギーを失って対消滅を起こすようになります。もし粒子と反粒子が全く同じ性質を持っていれば、ビッグバンで作られた粒子と反粒子は完全に消滅してしまう筈でした。ところが自然は粒子と反粒子の間にほんの僅かな差を付けていました。これを"CP 不変性の破れ"といい、それが実際に起こっていることが実験室で確かめられています。この破れは非常に小さなもので、数にして 10 億個に一つの違いに過ぎません。しかし、この僅かな違いのお陰で粒子だけ生き残り、現在の物質世界が出来上がったのでした。

注 1)　現代の素粒子物理学では、6 種類のクオークと 6 種類のレプトンの組み合わせで全ての物質が出来ていると考えられています。クオークは陽子や中性子それに中間子などを作る素粒子で、レプトンは電子やニュートリノの総称です。力の統一理論は、宇宙の初期にはクオークとレプトンは同じ粒子であったと示唆しています。

陽子は 10 万分の 1 秒後に生まれた

宇宙空間での元素合成は 15 分で終了した

　宇宙誕生から 0.00001 秒後、宇宙の温度が 1 兆度に下がった時、宇宙に再び相転移が起こります。3 つのクオークが結合して陽子や中性子に変わる "クオーク・ハドロン相転移" で、ハドロンというのは素粒子物理学での核子の呼び方です。0.1 秒後には、宇宙には光とニュートリノと呼ばれる微粒子、電子とその反粒子である陽電子の対、それに陽子と中性子が存在していました。

　膨張が進むにつれてさらに温度が下がり、60 億度になると電子と陽電子の対は合体して光に変わってしまいます。100 秒後には温度は 10 億度に下がり、陽子と中性子が結合してできる重水素を経て、質量数 4 のヘリウム（^{4}He）が作られる反応が進行します。この反応は温度が 3 億度 K まで下がった 1000 秒後には完全に終わってしまい、以後核融合反応は起こりませんから、宇宙初期物質の組成はこの時期に決まってしまいます。その結果は、全体の約 90％が水素、そのおよそ 10 分の 1 がヘリウムで、その他の元素は全部合わせても 1％以下に過ぎません。

　この時点では、水素とヘリウムの原子核は電子を失ったプラズマ状態になっており、光子は電子との衝突によって散乱されるために、宇宙は見通すことができませんでした。10 万年後に光子と電子の衝突がなくなって初めて、光子は遠くまで飛べるようになりました。"宇宙の晴れ上がり" です。

膨張宇宙と宇宙背景放射の発見

宇宙の膨張はある一点で始まった

　ビッグバン宇宙説はこうして軽い元素の起源を定量的に説明出来ることが示されましたが、それが確からしいことは、エドウィン・ハッブルによる膨張宇宙の発見とペンジャス—ウィルソンの宇宙背景放射の発見によって強力に支持されることになります。

　我々の銀河から遠く離れた銀河系の観測を行っていたハッブルは、遠くの銀河系程、我々から速い速度で遠ざかっていること、そして時間を過去にたどれば全ての銀河が一点に集まることを、1929 年に発見しました。つまり、このことは、ある時点で宇宙の一点から膨張が始まったことを示しています。

　ベル研究所のペンジャスとウィルソンは、1965 年に、通信電波に紛れ込むノイズの原因を探っていて、偶然に宇宙における過去の黒体放射の残骸である 3 度 K の光子を捉えました。物質の密度が今よりも 10 億倍も大きかった頃、宇宙には気体状の物質がほぼ一様に分布し、宇宙は不透明で、放射された光も高い密度のために即座に吸収されてしまう状態でした。そのような状態では、黒体放射と呼ばれる光の放射が起こっています。宇宙の密度が低くなると、この放射は吸収されずにそのまま取り残されるようになります。

　このような放射の存在は、既に 1948 年頃に、ガモフによって予言されていました。ペンジャスとウィルソンが発見した 3 度 K の放射は正にそれが発見されたことを意味しました。この発見は、宇宙が少なくとも今の 10 万分の 1 の大きさだった段階があった筈であることを示

しています。この思わざる発見によって、彼等は 1978 年度のノーベル賞を受賞しました。

四つの力

我々の世界は 4 つの力に支配されている

　現在の宇宙論では、宇宙には数度の相転移が起きたと考えられています。その一つがガット相転移と呼ばれるものです。これは最近急速な進歩を遂げた素粒子物理学が宇宙論に持ち込まれたことによる成果です。我々の物質世界が 4 つの力に支配されていることは、良く知られています。4 つの力とは、強い相互作用、弱い相互作用、電磁力そして重力で、アインシュタインが手掛けて以来、これらの力を統一的に扱う試みが続けられています。まず弱い相互作用と電磁力の 2 つを統一しようというワインバーグ＝サラムの"標準理論"が、予言した W 粒子および Z 粒子の発見によって確立し、さらに、これに強い力をも含めた大統一理論（ガット）の研究が進められています。最後に重力をも含めて 4 つの力全てを統一する超大統一理論も遠からず完成するであろうと期待されています。

　現在の物理学で考えられる最高の温度は 10^{32} 度 K で、プランク温度と呼ばれます。この温度は宇宙では誕生後 10^{-44} 秒後に対応します。そこでは時空そのものが量子論的にゆらいでいて、ブラックホールなどが出現したり消滅したりしており、あらゆる物質は溶けて素粒子ガスになっています。それと同時に、4 つの力も"溶けて"1 つの力となっ

ています。

ガット相転移

統一場理論が予言する素粒子、モノポール

　しかし、宇宙が膨張してある温度まで下がると、物質間に働いていた力が枝分かれすることによって、エネルギー的により安定な状態を取ろうとします。プランク温度を下回った時点で、先ず重力が枝分かれし、次に温度が 10^{28} 度 K になると新たな枝分かれが起こって、強い力が分離します。これがガット相転移です。宇宙の温度が 10^{16} 度 K まで下がった時に最後の枝分かれが起こって、弱い力と電磁力が生まれます。

　これらの宇宙の進化の様子を統一場理論は示唆していますが、その他にも、重要な予言を与えています。ガット相転移では、宇宙で最初の物質が誕生します。それまで質量が 0 であった X 粒子が質量を持つようになり[注2]、温度の降下と共にこれが崩壊して、クオークが生まれます。こうして出来たクオークやレプトンは、物質として認識されることになります。

　統一場理論はまた、ガット相転移でモノポールが生成すると予言します。モノポールとは N 極または S 極のどちらかの磁荷だけを持った素粒子で、以前に 1 例だけ発見の報告がありましたが、確認はされていません。もしこのモノポールの存在が確認されれば、力の統一理論の強力な証拠となる筈です。

注2)　質量がどのような仕組みで発生するのかという問題は、多くの理論物理学者の頭を悩ませた問題でした。これに対してエデインバラ大学のピーター・ウエア・ヒッグスが、後にヒッグス機構と呼ばれることになる一つの仮説を提唱しました。この仮説では、ヒッグス場と呼ばれるスカラー場とそれに対応するスカラー粒子（ヒッグス粒子）を導入します。

宇宙の初期の状態では、すべての素粒子は自由に動き回ることができて、質量を持ちませんでしたが、低温状態になるに連れ、ヒッグス場に自発的対称性の破れが生じ、真空の相転移が起きます。それによって、光以外のほとんどの粒子が抵抗を受けるようになり、これが素粒子の動き難さを生じて質量が生み出されるのです。

コラム7　反粒子

私たちに最も馴染みの深い反粒子は陽電子です。電子の英語名がエレクトロンであるのに対して、陽電子はポジトロンと呼ばれます。陽電子は、たとえば ^{22}Na がベータ壊変を起こすときに放出される反電子で、医療診断用のポジトロン・カメラにも応用されています。

陽電子の存在は、ポール・ディラックによって、相対論的量子論に基づいて純粋に理論的に要請されました。ディラックは、いわゆるディラック方程式の解として、通常の正のエネルギー状態の他に、負のエネルギー状態が得られること、そして、この負の状態から正の状態への遷移には、常に電子の質量に相当するエネルギーの2倍（$2m_eC^2$, m_e

は電子の質量、c は光速度) 以上のエネルギーを必要とするという結果を得ました。この数学上の結論に対して、ディラックは、通常これらの負のエネルギー状態はすべて電子で満たされており、それらの電子の一つに $2m_eC^2$ 以上のエネルギーを与えるとその電子は正のエネルギー状態に押し上げられ、一方、電子の抜けた正孔はあたかも正に帯電した陽電子の如く振る舞うという物理的解釈を与えました。この解釈が正しければ、陽電子の性質は、電荷以外は電子とまったく同じであること、陽電子が作られる時も消滅する時も必ず電子の生成、消滅を伴うことが要請されますが、その後の研究によって、その正しさが証明されました。

1932 年、アンダーソンは宇宙線の霧箱写真中に陽電子の存在を確認し、陽電子がディラック方程式に従うことを実証しました。その後、放射性壊変や陽電子―電子対の生成・消滅の過程においても陽電子が観測されました。また、軽い元素をアルファ線で照射すると陽電子が得られることが、多くの実験室で見いだされました。現在では、大型加速器によって、陽子の反粒子である反陽子を始め様々な反粒子が作られています。

しかし、このディラックの粒子―反粒子モデルも、今では純粋エネルギーから粒子生成の正しい描像へと至る中間段階と見なされるようになりました。ファインマンはこの粒子―反粒子相互作用全体が一つの電子だけで記述出来ることに気が付きました。エネルギーの高い光子と相互作用することによって電子は時間に逆行して進むようになり、その間は私たちには時間に順行する陽電子として見えていると言うのです。このモデルに従えば、宇宙が負エネルギーの電子で充たされていると考えなければならないことはなくなります。大切なのは、観測

結果を解釈する上で、同等に有効なモデルが幾つも存在し得ると言うことです。

3.2　星の燃え尽きるまで

星の誕生

ニュートリノの有限な質量が一様な宇宙にむらを生じる

　晴れ上がった宇宙はさらに膨張を続け冷えていきます。やがて、一様に拡がっていたガス雲に密度の濃淡があらわれ、分裂を始めるようになります。宇宙に構造が現れたのです。分裂したガス雲は、重力のために収縮を始めます。こうして収縮したガス雲から星や銀河、銀河団が形成されたと考えられていますが、そのメカニズムはまだ良く判っていません。

　実は、宇宙背景放射の精密な測定が続けられた結果、宇宙初期のガス雲に見られるむらは 10 万分の 1 以下であるという結果が得られています。始め一様であった宇宙にどのようにしてむらが生じるかについては、コンピューター・シミュレーションの報告もありますが、むらが生じるためにはニュートリノが有限の質量を持つ必要があります。また、生じたむらが非常に大きければ、最初に超銀河団が作られ、やがてこの超銀河団が分裂して銀河や星が作られたと考えられますし、逆に、むらが小さければ、最初に星が生まれ、それらが集まって銀河から銀河団、超銀河団へと進化したことになります。

水素燃焼

重力収縮によって星の中で水素の燃焼が始まる

　ともあれ、一旦星が生まれると、重力による収縮が進み、温度が上昇を始めます。内部の温度が百万度を超えると、水素と重水素から ^{3}He ができる反応が起こり始めます。温度がさらに上昇すると、水素と他の軽い元素との反応が起こるようになります。

　私たちの太陽は推定中心温度 1500 ないし 2000 万度、元素組成は H80％、^{4}He20％、C、N、O などの元素が全部で 1％程度です。この温度では、水素原子が 4 個融合して ^{4}He になる p−p 反応と、^{12}C を触媒として 4 個の水素原子から 1 個の ^{4}He を作る CN サイクルと呼ばれる反応との 2 種類の水素燃焼過程が、大体同程度進行していると考えられています。

中心部の水素を使い尽くした星は赤色巨星になる

　水素燃焼過程によって中心部のかなりの水素を使い尽くした星では、大部分ヘリウムで占められるコアが形成されるようになります。といっても、この段階で使い果たされる水素の量は全体の 15％にしか過ぎません。重力収縮の結果、コアの温度・密度は高くなり、その熱がコアのすぐ外側の薄い層に伝わって、CNO サイクルによる水素の燃焼が活発になり、外層が膨張し始めます。"コアが縮む反動で外層が膨らむ"のです。かくして、その表面は相当増加し、冷えてきます。その一方で明るさは大体同じに保たれるので、後で述べる HR 図の主系列から外れ

てきます。このような星は赤色巨星として知られています。私たちの太陽も、いずれ寿命の終わり近くなれば赤色巨星の段階を迎え、火星まで飲み込んでしまいます。赤色巨星は外層の質量を放出して失い、白色矮星となります。この段階はかなり安定で、10億年ないし100億年続き、その間大きさをほとんど変えません。その後、白色矮星は冷却し、黒色矮星となって一生を終えます。

アルファ・プロセス

アルファ粒子を次々と吸収することで鉄元素までの合成が進む

　水素を完全に燃焼しつくした星では、再び重力による収縮が始まり、それと共に中心温度が上昇します。温度が3億度位に達すると、3個の ^4He が融合して ^{12}C になります。この際、2個の ^4He が融合する反応は、生成する ^8Be が不安定で即座に2個の ^4He に壊れてしまうため、進行しません。ヘリウムの燃焼が進んで炭素原子が蓄積されてくると、炭素とヘリウムの反応によって ^{16}O を生成するようになります。

　中心核でヘリウムが消費されてしまうと、中心核は再び収縮の段階に入り、それと共に外層が大膨張を始め赤色超巨星となります。中心核の温度がさらに上昇し6億度にまで達すると、炭素同士または炭素と酸素の反応によって、ナトリウム、マグネシウム、アルミニウム、珪素等、中間の原子が形成されるようになります。

　温度が30億度位になると、多量に蓄積された ^{28}Si がガンマ線によっ

て分解され、高いエネルギーのアルファ線を放出するようになります。そして、中間の元素がこのアルファ線を次々と吸収することによって、鉄、ニッケルのところまで合成が進みます。これらの反応では、質量数が 4 の倍数の核種が主に作られるので、アルファ（α）プロセスと呼ばれています。

　珪素が α プロセスで消費されて定常状態になると、星の中心部では熱平衡が成立し、核種の存在量は核の安定性に依存するようになります。この過程は e プロセスと呼ばれます。

s プロセスと r プロセス

鉄原子は中性子を吸収してより重い元素に変わる

　星の内部の熱核反応では、鉄以上の重い元素を作ることはできません。こうした元素は、鉄を主成分とする中重元素の中性子捕獲によって作られます。その場合、一つの中性子を捕獲してから次の中性子を捕獲するまでの時間が、新しくできた核種のベータ崩壊の時間に比べて長い場合を s プロセス（遅い過程）といいます。中性子がベータ崩壊の時間よりも短時間に連続的に供給される過程は、r プロセス（速いプロセス）と呼ばれます。

　s プロセスでも合成できない重い元素は、大部分 r プロセスで作られます。中性子密度が大きい場合には、s プロセスとは逆にベータ崩壊が起こる前に、次々と中性子捕獲が行われ、中性子大過剰の核ができます。爆発によって星間空間に放出された元素は、ベータ崩壊を繰り

返して安定な核種に落ち着きます。

惑星状星雲

星の一生は重さによって異なる運命を辿る

　ところで、全ての星が上に述べたような過程をたどって鉄の中心核を形成するところまで進化するとは限りません。それぞれの反応が進行するためには、質量がある値以上でなければならないのです。質量が太陽の 8%以下の星では、水素が燃え始める臨界温度に達する前に収縮がストップしてしまい、次第に温度が下がっていき、最後は黒色矮星となって一生を終ります。

　水素の燃焼は太陽の 0.1 倍で起こり得ますが、ヘリウム燃焼は 0.5 倍、炭素の燃焼は 0.7 倍になって初めて起こり、鉄の中心核が形成されるまで進化するのは、質量が太陽の 4 倍以上の星に限られます。

　質量が太陽の 2、3 倍の星では炭素、酸素のコアが形成され、大きく広がった外層は弱い重力結合のため、なんらかのメカニズムによってゆっくりと質量を放出し、放出された質量は球殻状のガス雲を形作ってゆっくりと膨張し、中心には青白い星が残されます。この天体は惑星状星雲と呼ばれます。惑星状星雲の中心の星は急速に白色矮星へと変わり、一生を終えます。

タイプ I の超新星（爆燃型超新星）

太陽の 4〜8 倍の重さの星は炭素コアの核融合の暴走で爆発する

　質量が太陽の 4 ないし 8 倍の星では、爆燃型超新星仮説が有力とされています。重力収縮によって温度が上昇し、中心部の炭素コアの核融合の暴走が起こります。中心部の火の玉の密度は上に乗っている層より低いため、泡になって上昇し対流が発生します。これが爆燃波で、これによって温度は 20 億度に達し、炭素は瞬時に燃え尽きます。コア表面までの対流伝播には 10 数秒かかり、コア質量の 10%が燃焼して鉄までの元素が合成されたところで火は消えます。その後コアは収縮に転じ、再び炭素燃焼が強まりますが、密度が低すぎて温度が上がらず、鉄元素が生産されることはありません。再度の膨張の際に、コアの物質は脱出速度を超えてしまい、星全体が飛び散ってしまいます。この現象は、タイプ I の超新星と呼ばれます。

太陽の 8〜12 倍の星では ^{16}O の核融合反応の暴走で中性子星を残す

　質量が太陽の 8 倍から 12 倍の星では、質量が 4 の倍数になる酸素からマグネシウムまでの原子核が電子を捕獲する結果、圧力が減って重力収縮が進みます。中心密度が 1 立方センチメートル当たり 2 万 5 千トンに達すると、^{16}O 同士の核融合反応が爆発的に起こり、温度は 100 億度まで上昇します。球殻状の層は発生した酸素爆燃波を通過してさ

らに落下し、重力崩壊を起こします。高エネルギー光子による原子核の分解と原子核の陽子、中性子の吸収が釣り合って、熱平衡状態（eプロセス）が出現します。エネルギーは軽い核への分解に費やされるため、中心温度は上がらず、中心密度だけが高くなります。酸素、ネオン、マグネシウムから成るコアの外側のヘリウムと水素の層は緩い重力結合のため容易に星間空間に飛び散り、中心に中性子星を残します。

タイプⅡの超新星

太陽の 12 倍以上の星では中心部の鉄の分解で
爆縮から爆発へと移る

　元の質量が太陽の 12 倍以上あるような星においては、タイプⅡの超新星爆発が起こります。そのような星の内核は、ほとんどすべて鉄グループの元素で占められるようになるまで元素合成が進行します。この時点で、重力による収縮が再び始まり、温度が上昇し始めます。温度が 40 億度に達すると、最も安定な鉄およびニッケルの原子核は、それ以上核反応を進めることができず、突如アルファ粒子と中性子に分解してしまいます。これは吸熱反応ですので、星の中心領域の圧力が下がって、星は爆縮を始めます。

　鉄の光分解に端を発した爆縮がどんどん進んで中心密度が高くなると、星の中心部は中性子の大きな塊になります。密度が 1 立方センチメートル当たり 10 億トンになると、爆縮は途中で逆転して爆発に変わり、星の外層を大量に宇宙空間に吹き飛ばします。これがタイプⅡの

超新星の爆発で、星の中で合成された元素は星間空間にまき散らされます。超新星爆発の過程でrプロセスによる元素合成が大量に進行し、一度に100個以上の中性子を吸収した中性子大過剰核が形成されます。この重い元素の多くなったガスから次の世代の星が生まれます。

撒き散らされるガスの中で重元素が作られ
第二世代の星が生まれる

　第二世代の星は希土類辺りまでの元素を含んで誕生します。第二世代の星では、中心温度が1億度まで上昇した時点で、sプロセスによる中性子吸収反応が始まり、ビスマスまでの元素が生み出されます。第二世代の星も第一世代の星と同じように進化を続け、最後は鉄の核の崩壊によって超新星爆発を起こして、再び大量の元素を星間空間に放出します。爆発で放り出される元素は同時に生成する膨大な量の中性子の多重吸収を瞬間的に起こし（rプロセス）、一気に超重元素の合成にまで進行したガスを空間にまき散らします。やがてそのガスが凝縮して、第三世代の星が誕生します。われわれの太陽は、第三世代以降の星ということになります。

中性子星とブラックホール

核燃料を使い果たした星は死を迎える

　以上がこの世の中に存在する元素たちが作られた大まかな過程です。

現在地球上に存在する最も重い元素は92番のウランですが、それはウランより重い元素が作られなかったのではなく、いずれも寿命が短かったために、今までに壊れてなくなってしまったからです。

　核燃料を使い果たした星は死を迎えますが、その迎え方は星の大きさによって異なります。質量が太陽質量の程度の星では、重力による収縮は原子と原子が接するところまで縮むと、それ以上の収縮が止まり、一旦赤色巨星となって外側の層をガスとして放出した後、暗く小さな"白色矮星"となります。

　太陽の8倍から数十倍の質量の星は、重力崩壊によって中性子の芯ができると、超新星爆発を起こし、後に"中性子星"を残します。中性子星は、原子が配列していた白色矮星がさらにつぶれて、陽子の中に電子がめり込んで中性子になってしまった状態で、核子同士が接している状態です。中性子星の半径は僅か10キロメートルしかなく、途方もない重さの星です。しかし、中性子星の質量が太陽の3倍以上あるとその重さを支えきれず、さらにつぶれてブラックホールになります。

最も有名な超新星爆発は、藤原定家の筆になる平安時代の「明月記」にも記載されていて、我々日本人にも馴染みの深いかに星雲に見られます。ブラックホールについては3.4節でお話しします。

　質量が太陽の数十倍以上の大質量星の場合は、重力収縮が起こっても、巨大重力のために爆発を起こすことなく収縮を続け、その間、絶えずガス

図3.1　かに星雲

を吹き出しつづけて、星の内部がむき出しになる程質量を失います。星はそれ程膨脹せず、青色超巨星として進化し、星の中心にブラックホールが誕生します。このブラックホールは、やがて星全体をその中に飲み込んでしまいます。

主系列星

恒星はHR図の主系列の線上で生涯のほとんどを過ごす

　ほとんどの恒星は、寿命のほとんどの時期をヘルツシュプルング・ラッセル (H・R) 図の中の主系列星として過ごします。ヘルツシュプルング・ラッセル図とは、星の絶対光度と有効温度または色指数との関係を与えるグラフで、主系列星は図 3.2 の右下から左上への斜めの線に沿って、一本の線上に並ぶ星のことです。主系列星として寿命のほとんどを過ごした星は、進化の最後の時期になって主系列の線を離れ、右上に向かって赤色巨星への道をたどります。同じ星雲から生まれた星達は1本のカーブ上に並びますが、素性の異なる星団同士では異なる進化曲線を形成します。また、重い星程燃焼が速く進行し、そのため寿命が短くなります。

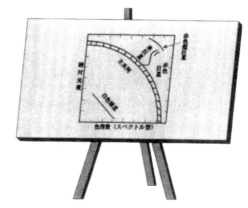

図3.2　ヘルツシュプルング・ラッセル (H・R) 図

ここで色指数とは、星の放つ青い輻射と赤い輻射の比に関係する量で、赤みを帯びた星ではプラス、青白い星ではマイナスになります。高温の星程青く光りますので、色指数は表面温度の目安を与えるものでもあります。現在、宇宙の年齢はおよそ 140 億年[注 3] と考えられています。私たちの太陽の年齢は 46 億年で、寿命は 100 億年程度と見なされています。つまり、太陽は寿命のほぼ半分にさしかかったことになります。

3.3　宇宙の広がり

星が先か銀河が先か

銀河と星のどちらが先に出来たのかは
まだ決着が付いていない

　宇宙空間が膨張するにつれて、空間に広がるガス雲にむらが生じ、やがて分裂したガス雲から銀河や恒星が生まれます。さらに、超新星爆発で星間空間に放出された重元素を含むガスからは、有機分子や固体のチリ粒子が集まって惑星が生まれ、やがて生命が育まれるもとになります。

　銀河と恒星のどちらが先に出来たのかについてはまだ決着がついてはいません。それに対する答えは、最初に生じたガス雲の密度のむらの大きさによります。そのむらの大きさを決めるのは、宇宙空間に大量に存在するニュートリノの飛程です。ともあれ、隣り合う銀河同士

の平均の距離は銀河の大きさのおよそ10倍です。同じ銀河団同士の銀河は宇宙が膨張する間も相互の位置関係を変えることなく同じ間隔を保っています。したがって、今の10分の1の大きさの宇宙では銀河同士が重なってしまうことになり、銀河が存在し得なかったと考えざるをえません。

注3)　2001年6月に打ち上げられたウィルキンソン・マイクロ波異方性探査衛星WMAPでは宇宙年齢を従来の直接「年齢」を測る方法の代わりに、高精度で観測された天体までの「距離」を光速で割ることで求める方法を採っています。それによって測定誤差が飛躍的に縮小され、宇宙の年齢は誤差1.6億年で137億年とはじき出されました。

ニュートリノの質量

ニュートリノの質量が有限であるか否かは宇宙天文学上の大問題

　もしニュートリノに質量があれば、宇宙の膨張と共に次第にエネルギーを失って飛び回れる距離（飛程）は有限になります。したがって、ニュートリノの飛程より小さいスケールの密度のゆらぎは、飛び交うニュートリノによってならされてしまいますが、それより大きなスケールの揺らぎは現れる可能性があります。

ニュートリノの質量が有限で
あるか否かは宇宙天文学上の大
問題であり、多くの物理学者に
よって長年研究されて来ましたが、
定量的な答えは得られていない
ものの、有限であることはほぼ間
違いないと考えられています。も
しニュートリノの質量が電子の1

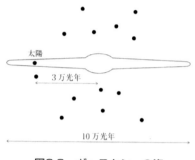

図3.3　ギャラクシーの姿

万分の1であれば、その飛程は約1億光年になり、これは後で説明す
る超銀河団のスケールに見合うものです。ここで、光年とは広大な宇
宙のスケールを表す単位として導入されたもので、光が1年間に走る
距離を意味し、およそ10兆（10^{13}）キロメートルに相当します。

　ともあれ、私たちの太陽は、直径10万光年、中心にバルジと呼ばれ
る1万5千光年の球状の膨らみを持つ円盤状の銀河に属しており、ほ
ぼ正確に銀河面上にあって、中心から約3万光年の位置を占めていま
す。円盤部分の大部分の星は厚さ300ないし400光年の範囲にありま
す。そして中央の球状の核を多数の球状星団が取り囲む直径25万光年
のハローと呼ばれる領域が附随しています。英語では大文字でギャラ
クシーと書かれるわれわれの銀河は、2000億ないし1兆個の恒星とガ
ス塵などで構成される渦巻き銀河で、太陽も渦巻きの腕の一本にあり
ます。そして、すべての星は、毎秒200キロメートルという高速で、
数億年かけて銀河を一周します。さらに、我が銀河は数十個の銀河と
共に銀河団を構成しています。

コラム8　ニュートリノ

　ニュートリノは、ベータ壊変の際のエネルギーやスピンの保存則の破れを救うために、1930年に、パウリが考え出した仮想的な粒子でした。エンリコ・フェルミが、後（1934年）にパウリのアイデアを借りてベータ壊変理論を作り、この粒子をニュートリノと名付けました。パウリがニュートリノに要求した性質は、（ⅰ）電荷は0、（ⅱ）角運動量と統計の保存則を守るためにスピンは1/2、（ⅲ）エネルギー保存則を守るために、放出される全エネルギーとベータ線の持ち去るエネルギーとの差を運動エネルギーとして持つ、（ⅳ）この粒子が観測にかからないことから質量は0かまたは非常に小さい、（ⅴ）磁気モーメントも0、というものでした。後年、レインズとコーワンが原子炉を使った実験でこの粒子を発見し、ニュートリノが実在の粒子であることを証明しました。後に、加速器実験によって、正の電荷を持つパイ中間子の崩壊の際に異なるニュートリノが生成することが確かめられました。両者は粒子と反粒子の関係にあり、原子炉の中で見付けられたほうが反ニュートリノとされています。

　ニュートリノが有限の質量を持つか否かは、素粒子物理学、宇宙論において重大な意味を持っており、そのため多くの物理学者がニュートリノの質量を測定しようと試みています。その主な方法は、親と娘双方の重さが精密に知られている核種同士間のベータ壊変の際に放出されるベータ線の最大エネルギーを測定するというものです。この実験は非常に難しく、未だにニュートリノの質量を正確に決めるには至っておらず、上限値しか得られていません。唯一ロシアのルビモフたちがニュートリノに有限の質量を与える結果を導き出しましたが、信

頼性は低いと思われています。

　この問題に関する極めて信頼性の高い観測が、岐阜県の三井神岡鉱山の古い坑道のなかに設けられた、カミオカンデと名付けられた巨大な検出装置で為されました。カミオカンデは、もともと大統一理論の予言する陽子崩壊を探る目的で建設されました。大統一理論によれば、陽子といえども未来永劫安定ではなく、10^{30} 年位の寿命で崩壊すると予言されていますが、その検出には成功せず、どうやら陽子の寿命は 10^{30} 年よりはかなり長そうであるという結果しか得られませんでした。ところが 1987 年に大マゼラン雲で起きた超新星爆発で発生したニュートリノを、カミオカンデが世界に先駆けて観測したことで一躍脚光を浴び、これを契機にニュートリノ天文学という新しい分野が誕生しました。この業績によって、小柴昌俊が 2002 年のノーベル物理学賞を授与されました。

　このカミオカンデと、カミオカンデを 20 倍に増強したスーパーカミオカンデを使ってのニュートリノ振動実験によって、ニュートリノに有限の質量があることがほぼ実証されました。これは宇宙線が大気中に飛来することによって生じた大気ニュートリノが地中を通過する際に、ミューニュートリノからベータ壊変の際に現れる電子ニュートリノやタウニュートリノと呼ばれる別のニュートリノに変るために、その強度が予想されるものより少なくなるというもので、この現象は質量が 0 であれば起こり得ません。

　2015 年には、梶田隆章東大宇宙線研究所長のノーベル物理学賞と大村智北里大特別栄誉教授の医学生理学賞のダブル受賞に日本中が沸きました。大村さんの医学生理学賞については 4.6 節で触れるとして、梶田さんの物理学賞の受賞理由はスーパーカミオカンデを使って大気

中のニュートリノ振動を実証し、ニュートリノの質量が 0 ではあり得ないことを示したことでした。この仕事はスーパーカミオカンデの威力を遺憾なく発揮したビッグ・プロジェクトの勝利であって、故戸塚洋二東大特別栄誉教授をリーダーとするプロジェクト・チームの代表としての受賞であると言えます。2002 年のノーベル賞の受賞に際して、小柴さんは、後何人かはニュートリノ関連で受賞する可能性があると言われましたが、その予言がとりあえず実現したということになります。

　彼等は、さらにニュートリノの飛来する方向を限定することによって実験精度を上げる目的で、茨城県つくば市の高エネルギー加速器研究機構の陽子シンクロトロンで発生させたニュートリノを 250 キロ離れた神岡のスーパーカミオカンデに打ち込む実験を計画し、既に成果を得つつありますが、さらに、原子力研究開発機構と共同で建設中の大強度陽子加速器で実験のグレードアップを図っています。

宇宙のバブル構造

巨大重力源とバブル構造

　ところで、目に見える物質だけでは銀河の形を保っておくには不十分であり、20 倍量の見えない物質が宇宙空間に存在しなければならないと計算されています。このことは、銀河の外に広がる水素ガスを銀河に留めておくためにも必要であることが判っています。この目に見えない物質はダークマターと呼ばれており、天体物理学上の大きな問

題となっています。ダークマターとしては、モノポールや原始ブラックホール等、幾つかの候補が挙げられていますが、その一つがニュートリノです。

1998年に、半径2億光年内の銀河が同じ方向に秒速600kmという猛スピードで引き寄せられていることが発見され、この現象はストリーミング・モーションと名付けられました。これは何か巨大な重力源が行く手にあるせいに違いないと考えられました。その後の研究で、グレート・アトラクターと名付けられたこの巨大重力源は、ケンタウルス座の方向、1億9000万光年の距離に存在する5万個の銀河からなる超銀河集団と考えられるようになりました。

同じ1986年、マーガレット・ゲラー等は宇宙の深部にむけて銀河の分布を測定したところ、ほとんどの銀河が数十個の銀河からなる銀河団を構成しており、さらにこの銀河団が集まって紐状ないし膜状の構造を取っていることを発見しました。それらの構造はほぼ規則的に繰り返され、その間には何もない空間（ボイド）が拡がっており、ちょうどシャボン玉の泡のようなバブル構造になっています。そしてこのバブルの差し渡しは1ないし3億光年でした。

宇宙の果てと年齢

宇宙にはブラックホール、パルサー、クエーサー等々様々な興味ある天体が発見されており、驚異に満ちた研究の対象であるのみならず、専門家ならずとも興味の尽きない話題です。現在発見されている最も遠い天体は、140億光年の彼方の幾つかのクエーサーです。140億光年ということは、私たちが現在目にしている光は140億年前にクエーサ

ーを出発したということを意味しています。つまり、私たちは宇宙の
ごく初期の姿を見ているのです。クエーサーは、中心部だけが非常に
明るく輝いており、しかもその明るさが1日から数年の周期で変動し
ている特異な銀河で、恐らく中心部で爆発のような激しい現象が起き
ているのだろうと考えられています。

　ところで、宇宙の年齢はおよそ140億年ですから、われわれはほと
んど宇宙の果てまで見ていることになります。それでは宇宙は有限で
あるかというと、答えはノーです。一般相対性理論の教えるところで
は、4次元の時空では宇宙空間は曲がっており、境界は存在しないこと
になります。この事情はちょうど風船の表面にたとえれば理解できる
でしょう。風船の表面は有限ですが、どこまで行っても境界は現れま
せん。それと同じように、宇宙空間は4次元空間の中の3次元の面と
見なされるのです。

コラム9　ダークマターとダークエネルギー

　ここ十数年の間に宇宙観測技術が大幅な進歩を遂げた結果、観測デ
ータの精度が格段に向上しました。それによって、われわれの宇宙に
対する知識も画期的な進展を見せることになったのです。

　ペンジアスとウィルソンによって発見された宇宙背景放射に見られ
る極めて微細な熱的揺らぎの精密な観測データの解析が進み、（ⅰ）通
常の物質であるバリオンと光子のエネルギー密度比と（ⅱ）全ての物
質（バリオン＋ダークマター）と輻射のエネルギー密度比が正確に求
められました。その結果は、全物質密度が24％となりました。このう
ち4％はバリオンなので、ダークマターの密度は20％と導き出されま

す。そして残りの 76％がダークエネルギーと言うことになります。

　平均質量密度 ρ、平均圧力 p からなる物質で占められている宇宙に対する一般相対論的な運動方程式は、万有引力定数を G として、

$$\frac{\mathrm{d}^2 R}{\mathrm{d} t^2} = -\frac{4\pi}{3} G R \ (\rho + 3p)$$

で与えられます。ここで R は宇宙の大きさに対応する変数です。

　最近の宇宙観測データの精度の向上を受けて、ハッブル則の詳細な検討を行った結果は、少なくとも現時点では、宇宙の膨張が等速的でなく、加速的に起こっていることを示しています。この観測結果を説明するためには、宇宙には引力ではなく斥力が働いていること、つまり、上の方程式の右辺が正にならなければならないことを意味します。

　このことを可能にする条件はただひとつ、宇宙の主要成分として、物質成分 ρ_m の他に

$$p = p_x = w \rho_x \ (w < -1/3)$$

となるような成分 X を導入することです。この正体不明な奇妙なエネルギー成分がダークエネルギーと呼ばれるものです。特に w＝－1 の場合がアインシュタインの導入した宇宙定数に対応する事になります。

　観測データは w＝－1 の場合が良い再現性を与え、無次元の非相対論的物質エネルギー密度 $\Omega_m = 0.24$、ダークエネルギー密度 $\Omega_x = 0.76$ という結果が得られます。この結果は、背景放射の熱的揺らぎ、その他のデータからの結論と良い整合性を示します。

3.4　ブラックホールは毛が三本

光も外に出られないブラックホール

シュバルツシュルトが発見した重力場方程式の解

　1906 年、カール・シュバルツシュルトは球対称の真空に一般相対性理論を適用して、アインシュタインの重力場方程式の解を発見しました。このシュバルトシュルト解には中心に重力や密度が無限大になる特異点が現れます。そしてシュバルトシュルト解と名付けられた半径の球の内側からは光さえも脱出することができません。光が外に出られなくなる面を事象の地平面と呼びます。翌年には、ワイルやチビタによって軸対象の真空に対する解が見付けられましたが、当時は単なる数学上の問題にしかすぎず、現実に存在し得るものとは思われていませんでしたが、1939 年に、オッペンハイマーが初めてブラックホールの生成を理論的に証明して以来、天体物理学の対象に変って来ました。

多様な解は最後にはカー解に落ち着く

　1963 年になって、カーは回転する球対象の真空に対する第 3 の解を見いだしました。それから 9 年後、富松彰と佐藤文隆が回転する軸対象の真空に対して沢山ある第 4 の解の多くを得ています。
　現実の星の重力崩壊では球対象から外れたり、回転の影響があったりして、シュバルツシュルトの解が適用できるとは限りません。重力

収縮しているときに球対象からずれると、一般にはそれが拡大され、複雑な様相を呈するようになります。しかしながら、話をブラックホールに限れば、途中はどうであれ、最後はカー解に落ち着くことになります。

　そしてカー解は質量、角運動量、荷電の三つの物理量を含むだけで、その他の性質は持ちません。ブラックホールの名付け親のジョン・ホイーラーは「ブラックホールには毛がない」という名言を吐きましたが、実際には"ブラックホールは毛が3本"というのが正しいでしょう。

現在知られているブラックホール候補

莫大なエネルギーを放出する小さな天体はブラックホール候補

　現在知られているブラックホール候補は6つほどありますが、そのうちで最も確からしいのは、8千光年先にある白鳥座のX-1と呼ばれる天体です。私たちの銀河の中心には、直径わずか1光年範囲に太陽100万個分の星の集団があると推測されていますが、これだけの星の集団を繋ぎ止めておくには太陽の100万倍の質量中心が必要になります。これだけの大質量をこんな狭い領域に閉じ込められるのはブラックホールしか考えられません。また、活動銀河であるクエーサーは、強力なX線を放出していますが、そのエネルギーを見積もると、実に

太陽の 10 兆ないし 100 兆倍のエネルギーに相当します。これだけのエネルギーを放出し続けるには太陽の 1 億倍の質量が必要であり、その質量が太陽と地球間の距離のわずか 10 倍という非常に狭い領域に押し込められていることになります。これもまたブラックホールの存在を信じさせる観測結果です。クエーサーや銀河の中心核では超新星爆発の数万倍から数十万倍という途方もなく大きなエネルギーが発生しています。しかもこのエネルギーは太陽系程度の非常に小さな場所から出ていることが、観測によって確かめられています。これだけの莫大なエネルギーを出しているこんなに小さい天体の正体について、天文学者の多くはブラックホールを考えています。

宇宙創世期に生まれたミニ・ブラックホール

ミニ・ブラックホールは負エネルギーの
反粒子を吸収して消滅する

　ところでそれとは別のブラックホールの可能性がステファン・ホーキングによって示されました。彼は、ブラックホールを粒子・反粒子の生成・消滅が絶えず繰り返されている量子論的真空状態として扱いました。粒子・反粒子の生成に際して、ブラックホールは負のエネルギーを持つものを吸い込み、そのエネルギーに相当する質量を失います。一方、正のエネルギーを持つ粒子は外に放り出されます。あたかも、ブラックホールは粒子を放出してエネルギーを失い小さくなっていくように見えます。すなわちブラックホールは蒸発して、やがては

消滅してしまうことになります。

　これまでお話したようなタイプのブラックホールでは蒸発の速度は問題にならない程遅く、一旦生成したブラックホールが成長することはあっても消滅することはあり得ませんが、おそらく宇宙初期に発生したと思われるミニ・ブラックホールではそのようなことが起こり得ると、ホーキングは指摘しました。

　ビッグバン宇宙の初期には、密度のゆらぎで生じた高密度の領域が重力崩壊して、質量がたかだか10億トン、小さいものでは1グラム以下のミニ・ブラックホールが大量に生まれ、その後ほとんどは蒸発して消えてしまいましたが、その幾つかは現在でも生き残っている可能性があります。しかしながら、そのようなミニ・ブラックホールを見付ける可能性はまずありません。

連星系のブラックホール

連星系のブラックホールは強いX線を発生する

　それでは、普通のブラックホールは、光さえも外に出てこないというのに、どうやって見付けることができるのでしょうか。普通のブラックホールといえども、単独で存在するときには、その存在を検知することは困難ですが、連星の一方が重力崩壊してブラックホールになったときには、その存在を観測できる可能性が出てきます。

　ブラックホールの強い重力によって相手の星からガスが引き寄せられますが、このようなガスはブラックホールに直接落ち込まずに、そ

の周りを回るガスの円盤を作ります。これを降着円盤と呼びます。円盤の中で回転するガスは、周りのガスと摩擦を起こし、スピードが遅くなって、ブラックホールへと落ち込んでいきます。この円盤の半径は 100 万キロメートルにおよび、ブラックホール近くではドーナツ状に膨らんでいます。摩擦によってこの円盤は加熱され、この膨らんだ部分の温度は 1000 万度から 10 億度にまで達する結果、強い X 線を発生するのです。つまり、ブラックホールを探すには X 線星を目当てにすればよいのです。中性子星も同じように X 線を出すことがありますが、質量が太陽の 3 倍以上であれば、それは中性子星ではあり得ず、ブラックホールということになります。また、円盤の中心付近では、回転軸方向にガスの高速の流れ、"ジェット"が形成されることもあります。これらのメカニズムについては、現在コンピューターによるシミュレーションが試みられています。

　２０１９年４月１１日の朝刊に一斉に報じられたＭ８７銀河のブラックホールは正に理論で予言されていた連星系のブラックホールそのものの姿をしていました。

成長するブラックホール

ブラックホールの表面積とエントロピーは常に増大する

　さて、ブラックホールは光や物質を吸い込んで大きくなっていきます。ブラックホールの質量が２倍になると半径も２倍になり、その表面積は４倍になります。ホーキングはその性質を調べて、「ブラックホ

ールが小さくなることはあり得ない」という定理を導きました。物質が持っていた様々な情報はブラックホールの中では失われ、"3本の毛"しか残らないのです。ブラックホールの表面積とエントロピーは常に増大します。二つのブラックホールが正面衝突するとその表面積が大規模に増大し、ブラックホールの静止エネルギーの千分の一が重力波として放出されると考えられており、この重力波を検出しようとする試みも精力的に行われています。

ホワイトホールとワームホール

　一般相対性理論の解は必ず対になって存在します。吸い込み専門のブラックホールがあれば、吹き出し専門の世界が存在しなければなりません。これは"ホワイトホール"と名付けられています。しかし、ホワイトホールがどうやって作られるかについては、全く分かっていません。

　特異点では物理法則や因果関係が消滅しているため、ホワイトホールからは物理法則を無視して物質が飛び出してきます。このような特異点は"裸の特異点"と呼ばれますが、ロジャー・ペンドルトンは「物理法則が適用できない特異点は裸では存在できない」という仮定を立てました。この仮定を認めれば、ホワイトホールが現在の宇宙に存在することは否定されてしまいます。

　これを避けるために、ホイーラーはホワイトホールの事象の地平面内の領域をブラックホールの事象の地平面内に繋ぎ、この抜け道をワームホールと名付けました。宇宙の初期に多重宇宙の発生が起きれば、これらの宇宙を繋ぐ抜け穴としてワームホールが自然に形成されるこ

とが証明されています。ワームホールは、SFの世界では超高速宇宙旅行の根拠として盛んに登場します。

3.5　宇宙の終わり

進化宇宙論と定常宇宙論

背景放射は膨張宇宙に軍配を上げた

　ガモフのビッグバン宇宙に端を発する進化宇宙論は、いつの日か宇宙に終わりが訪れることを意味しています。これに対して、多分に宗教的な色彩が絡んで、宇宙には始めも終わりもなく不変であるという定常宇宙論が以前から存在していました。アインシュタインが一般相対性理論を作り上げた時にも、彼の重力方程式が宇宙の不変性を与えないことに悩み、その困難を救うために宇宙項を方程式に中に導入したことは前にお話しました。

　定常宇宙論と進化宇宙論の間の論争はひとしきり盛んに行われました。ハッブルが宇宙は膨張していることを発見した後も、定常宇宙論者のホイルは、膨張と定常を両立させるために、C場と名付けた物質創成の場を含む重力理論を打ち立てて、定常宇宙論の理論的根拠としました。それには、ハッブルが当初与えたハッブル定数の値が大きすぎて、それから計算された宇宙の年齢が18億年と太陽系の年齢より短くなってしまうという矛盾があったことも関係していました。

　1965年のペンジャスとウィルソンによる3度Kの宇宙背景放射の発

見は、ほとんど決定的とも思える証拠を進化宇宙論に与えましたが、それでもしばらくの間、定常宇宙派は背景放射は定常宇宙論でも説明できると頑張っていました。

フリードマンの宇宙モデル

宇宙の一様性と等方性

　さて、進化宇宙論の理論的支柱の代表的なものは、フリードマンの相対論的膨張宇宙モデルです。フリードマン・モデルは、次に述べる三つの重要な仮説の上に組立られています。ニュートンの重力理論より進んだ重力理論としては、アインシュタインの重力理論を含めて、観測結果によるチェックを経て生き残ったものが四つありますが、重力はアインシュタインの一般相対性理論によって記述されるというのが最初の仮説です。

　残りの二つは宇宙の一様性と等方性です。宇宙が一様であるということは宇宙には中心などはなく、どの場所も同等であるということです。そして等方的であるということは、宇宙には特別な方向などはなく、どちらを見ても同じ風景が広がっているということです。一様性と等方性は互いに関連した概念ですが、同等ではありません。一様でなければ、いたる所等方ということにはなりませんが、一様な球の内部では、中心以外は等方ではなくなります。また、密度一様な宇宙が回転している場合や、一方向に揃った磁場の下に置かれている場合には等方ではなくなります。

宇宙原理が可能にした重力場方程式の解

　ところで、現実の宇宙は星、銀河、銀河集団、さらに超銀河構造といった階層的な構造を持っていることが知られています。その限りでは、宇宙は一様でも等方でもありませんが、超銀河構造を遥かに越えるスケールで見れば一様性と等方性が保証されるというのがこの仮説です。もしこのような階層をなした構造が無限に続くとしたら、一様性と等方性という仮説は成り立たなくなりますが、現在のところ私たちはこれに対する答えを持っていません。ともあれ、この一様性と等方性の仮説を合わせて「宇宙原理」と呼びます。

　アインシュタインの重力場方程式は非常に複雑で、一般的な形では解くのは容易ではありませんが、宇宙原理を持ち込むと、方程式が極めて簡単になります。フリードマン・モデルは膨張する一様密度の球の表面と対比させることができます。もちろん、実際の宇宙は四次元の球の表面になります。今、ゴム風船の表面の何ヶ所かに印をつけて風船を膨らませると、どの印から見ても他の印が後退して行くようにみえます。これがハッブルの膨張に対応します。このとき風船の表面には中心も端もないので、宇宙原理は満足されています。

宇宙の平均密度と臨界密度

宇宙が開いているか閉じているかは平均密度で決まる

　実は、この宇宙モデルは宇宙の平均密度 ρ がある臨界密度 ρ_c と呼ばれる量と比べて大きいか小さいかで様相を異にします。上のゴム風船は、ρ が ρ_c より大きい場合で、閉じた宇宙を表します。これに対して、ρ が ρ_c に等しい時宇宙は平面になり、ρ が ρ_c より小さい場合には宇宙は馬の鞍の様な形をとります。そして、これら二つの場合とも開いた宇宙になります。

　臨界質量はハッブル定数の二乗に比例します。ハッブル定数の測定はなかなか難しく、これまで度々改定されていますが、依然としてかなりの不確定さを残しています。そのため、臨界質量の値にも幅があり、一応、5×10^{-30} から $3 \times 10^{-29} \mathrm{g/cm^3}$ と見積もられています。

　一方、宇宙の平均密度については、オールトが銀河の数から $6 \times 10^{-31} \mathrm{g/cm^3}$ という値を出していますが、これは 20 倍以上は存在すると言われているダークマターとダークエネルギーを含んでいない値であるので、参考にはなりません。ともあれ、現在のところでは、いろいろなことを考え合わせると、我々の宇宙は ρ が ρ_c に非常に近い宇宙であろうと考えられています。

　次に、宇宙の年齢はハッブル定数の逆数に比例しますが、閉じた宇宙と開いた宇宙では違ってきます。その結果は、閉じた宇宙に対しては 130 億年以下、開いた宇宙に対しては 50 億年以上という年齢を与えます。

宇宙の歴史は初期の出来事の方が良く分かる

　フリードマン・モデルのもう一つの重要な成果は、宇宙初期に置ける温度が時間の関数として一義的に決定されることです。それによると、宇宙が始まって1秒後の温度はほぼ100億度K、100秒後には約10億度Kになります。宇宙の歴史に関しては、初期の出来事の方がよく分かるのです。3度Kの宇宙背景放射の発見の後、ガモフはペンジアスに宛てた手紙の中で、この発見を契機にデイッケ、ピーブルスたちが"再発見"した「原子の火の玉」理論は、1946年に彼が始めて提案したものであり、その時点ですでに、現在の温度を彼自身は7度K、アルファとハーマンは5度Kと評価済みであることを指摘しています。

　かくして、フリードマン・モデルは大筋において進化宇宙モデルの見地に立つ観測結果のチェックをくぐり抜けています。しかし、可視質量のおよそ20倍と見積もられているダークマターとダークエネルギーの量如何で、宇宙が閉じることになるのか或いは開かれるのかについての決着はついていません。一方、宇宙初期にインフレーションが起こったとすると、宇宙の平均質量と臨界質量は等しいことが要求されます。

銀河系の運命

局部銀河団には巨大ブラックホールと死んだ星しか残らなくなる

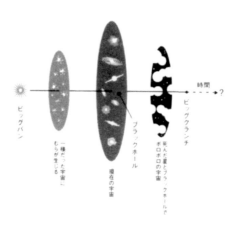

私たちの銀河系は、アンドロメダ星雲やマゼラン雲など数十の銀河と共に直径 300 万光年の"局部銀河団"と呼ばれる集団を作って、互いに重力によ

図3.5　宇宙の進化

って結び付いています。1000 万光年以上離れた銀河や銀河団は、宇宙の膨張につれて、現在の配置を変えることなく、一団となって遠ざかって行きます。しかし、銀河の中で星の誕生と死が繰り返されるうちに、次第にガスの量が減って行きます。ブラックホールや中性子星などに取り込まれたガスが星間空間に戻らないからです。こうして新しい星の生成は無くなり、最も寿命の長い 100 兆光年程の寿命を持つ星が一生を終える頃には、普通の星は無くなり、星の死骸とブラックホールしか銀河には残っていなくなり、銀河は輝きを失います。

かくして暗闇になった銀河の中で、死んだ星や惑星は以前と同じように軌道運動を続けていますが、近くを他の星が通り過ぎると惑星は弾き飛ばされ、星はエネルギーを得て銀河の外へ飛び出して行きます。こうしてエネルギーの一部を失った銀河は、エネルギーのバランスを取るために収縮します。このような収縮が続くと、ついには銀河の中

心部にブラックホールが生まれ、周りの星を飲み込んで巨大化していきます。かくして、10^{17}—10^{18} 年後には局部銀河群の中には巨大ブラックホールと僅かの死んだ星だけが散らばっているようになるでしょう。

陽子が崩壊する！

銀河はバラバラに分散してブラックホールの蒸発が始まる

大統一理論によれば、陽子といえども安定でなく、10^{30} 年の寿命で崩壊して、光子とレプトンに変ります。この影響は 10^{20} 年頃から現れ始め、10^{32} 年頃には陽子は全て崩壊し、宇宙には光子とレプトンそれに巨大ブラックホールしか存在しなくなります。そして光子とレプトンは銀河の中に閉じ込められることなく宇宙全体に広がってしまいます。

同時に局部銀河群の重力による結合が破れて、銀河はバラバラに分散して行きます。10^{66} 年位になると、星の重力崩壊によって生まれたブラックホールの蒸発が始まるようになり、10^{100} 年頃には巨大ブラックホールは蒸発によって消滅し、後には光子とレプトンしか残らない、何の構造も持たない宇宙が延々と膨張を続けます。宇宙の熱的な死です。

ブラックホールとホワイトホール

宇宙の死に際しホワイトホールはどのように働くのか？

　これは開いた宇宙の場合で、その未来には暗黒しかありません。実は閉じた宇宙でも同様で、一旦膨張したのち宇宙は収縮に転じ、銀河や星同志が融合してブラックホールが形成されるようになります。ブラックホールは星や銀河を飲み込んでどんどん生長し、ついには宇宙全体が一つの超巨大ブラックホールになってしまいます。そして収縮はさらに進んで、最後には特異点に収縮して終わりを遂げるのです。この特異点をビッグクランチと言います。

　しかし、宇宙の未来については、過去に比べてあまり研究が進められてはいません。たとえば、進化宇宙の晩年にホワイトホールとワームホールはどのように関わって来るのかというような議論は、まだどこでもなされていません。もし宇宙原理が働いているとすれば、物質の吸い込み口や吹き出し口は宇宙に一様に分布している筈であり、その影響は無視できなくなるのではないでしょうか。物質が他の宇宙に持ち出されれば、宇宙の喪失量が増大して一旦収縮した宇宙が再膨張に転じる可能性も考えられます。反対に、ホワイトホールから吐き出された物質は、宇宙の再生に向けて働き出すのではないかと思われます。まだまだストーリーが書き換えられる可能性が残されているのです。

宇宙の跳ね返りはあるか？

超巨大ブラックホールの内部の世界での物理法則は？

　フリードマン・モデルでは宇宙が特異点で始まり特異点で終わるということ、さらに、宇宙の初期状態がなぜそうなるかを決められないことは、多くの物理学者にとって大変に居心地の悪いものでした。そのため、ビッグクランチを避けて、収縮から膨張への"跳ね返り"を出現させようとして、様々な宇宙モデルが試みられましたが、現在までのところ、その試みは成功していません。しかし、もしビッグクランチに到達する前に宇宙の跳ね返りが起こり、しかもそれが超巨大ブラックホールの消滅する以前であるならば、非常に興味ある問題が提起されることになります。

　その問題とは、有名なSF作家のアイザック・アシモフが彼の科学読物「大破滅」の中で指摘しているもので、跳ね返りの結果始まる宇宙の膨張は、宇宙全体を飲み込んだ超巨大ブラックホールの中で起こるということです。宇宙スケールのブラックホールのシュバルツシュルト半径は10億光年になり、ブラックホール内の平均密度は $10^{-27}\mathrm{g/cm^3}$ と計算されます。したがって、跳ね返り後の膨張宇宙で発生した生物は、自分がブラックホールの中にいることには気がつかないと思われます。その生物はどのような物理法則に支配されることになるのでしょうか？

　ただ、シュバルツシュルト半径が僅か10億光年に過ぎないことから、我々はまだこの跳ね返りを経験していないことは確かです。10億光年先には事象の地平線があって、何ものもそれから先へは飛び出せない

箸で、これは我々の観測結果とは相容れないからです。

第4章　地球の誕生と生命の起源

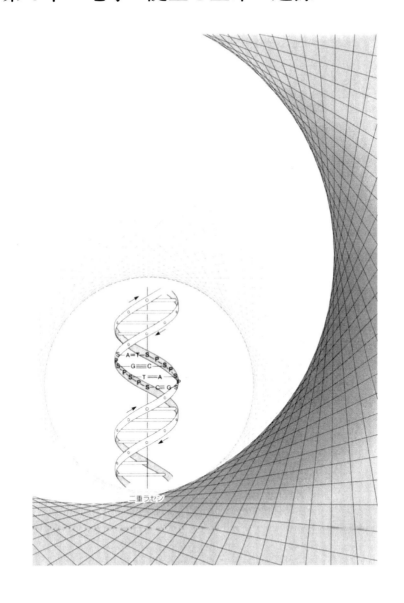

二重ラセン

4.1　美しく青き地球

惑星の誕生

チリや微塵から成長した微惑星の衝突合体によって
惑星が生まれた

　太陽が出現するのとほとんど同じ時期に、太陽を中心とする円盤状に拡がるガス雲から惑星が生まれました。ガス雲は超重元素までのほとんど全ての元素を含んでいました。重い元素を含んだ固体状のチリや微塵が凝縮を始め、重力作用によって周囲の物質を引き寄せながら次第に大きな塊に成長して行き、微惑星へと成長します。微惑星同士は衝突合体を繰り返しながらやがて惑星へと成長しました。

　太陽を取り巻くガス雲の中心に近い部分には重い物質がより多く含まれ、遠くに行く程軽いガス分子が含まれていました。そのため、地球型惑星と呼ばれる水星、金星、地球、火星の四つの惑星は比重が 5 程度と大きくて固体の芯を持っているのに対して、木星、土星、天王星、海王星、冥王星の五つの木星型惑星は比重が 2 より小さく、冥王星を除いてガス状惑星と見なされています。太陽系最大で恒星に成り損なった惑星と言われている木星は、木星探査機からの情報によって、大量のアンモニアとメタンが存在することが確認されており、平均表面温度は摂氏零下 170 度で、液体アンモニアの海が広がっていると想像されています。二番目に大きい土星にもアンモニアのスペクトルが見られます。

太陽系の構造

火星と木星の間に有るべき筈の惑星が存在しない理由

　火星と木星の間は特にかけ離れていて、大小さまざまな隕石が拡がる小惑星帯と呼ばれる空間があります。そのため、この場所には本来もう一つの惑星が存在しているべきで、一旦生成した惑星が何らかの原因でばらばらに壊れたという説と、微惑星が惑星に成長し損なったという説があります。現在では、惑星になり損なったという説の方が有力で、その原因として木星が周りの質量を吸収する効率が高かったため、惑星に成長するだけの物質が残されていなかったという考えがあります。火星が内側の地球や金星に比べて小さいこともその証拠とされています。しかし最近になって、小惑星帯の温度がちょうど鉄隕石の延性―脆性転移温度に相当し、鉄隕石が脆くなって、衝突合体の核となるべき天体が形成されなかったという説が松井孝典によって提唱され、注目されています。

他の惑星に生命体を求めて

　太陽系第三惑星である地球と第二惑星の金星とは双子のように良く似ているといわれますが、太陽からの距離の違いがその環境を大きく変えてしまいました。金星の表面温度は摂氏 470 度、大気の成分は大部分が二酸化炭素でいつも濃硫酸の雲に覆われていると考えられています。これは太陽からの紫外線が強すぎて大気中に含まれていた水蒸気が水素と酸素に分解され、水素が惑星間空間に逃げて失われてしま

ったためです。生命にとっては厳しすぎる環境と思われます。

　それに比べると、赤い惑星と呼ばれる四番目の火星には運河がある
と長いこと信じられて、多くの人が火星人の存在を信じていました。
火星は多くの人々の夢をかきたて、H. G. ウェルズを始めとする多くの
SF 作家が火星人を主題とする小説を書いています。しかしロケット探
査の結果、運河と思った構造は自然に出来た割れ目に過ぎず、表面は
月と同じように一面に隕石の衝突痕に覆われており、火星人はおろか
高等な植物も存在し得ないということで、長年のロマンチックな夢は
儚く消えてしまいました。それでも地球よりは低いものの若干の大気
が存在する上、極冠には薄い氷の層もあるので、微生物程度の生命体
はいるのではないかと僅かな望みが賭けられ、バイキング号ロケット
が火星に着陸して培養実験を行いましたが、結局それらしい痕跡は認
められませんでした。同時に、火星には有機化合物もほとんど見られ
ないことも確実となり、火星の生命体の夢は幻に終わりましたが、生
命探査の努力は今でも続けられています。

生命のゆりかご

海の誕生

　かくして、太陽系では、唯一地球だけが生命のゆりかごとなりえた
ことが明らかになり、地球のかけがえのなさが、あらためて認識され
ました。原始地球と微惑星の衝突のエネルギーは熱に変わって、惑星
表面や微惑星中の揮発成分をガス化して地表に放出し、次第に濃密な

二酸化炭素と水蒸気からなる大気を作り出していきます。衝突の際の熱と濃密な大気の温室効果によって、地表の温度が上昇し、地表が溶けて一面にマグマ・オーシャンが形成されます。水蒸気はこのマグマ・オーシャンに溶け込むので大気の量はほぼ一定に保たれます。

　惑星間空間にあった微惑星が原始地球にかき集められるにつれて、衝突回数も次第に少なくなり、やがて原始大気と地表は冷え始めます。マグマ・オーシャンの表面には薄い地殻も形成されるようになります。地表の冷却がさらに進んで、水が気体として存在できる臨界温度より低くなると、大気中の水蒸気が 200 度 C をこえる高温の雨となって激しく降り注ぎ海が誕生します。大気と海ができたのは 40 億年以上も前のことと考えられています。水蒸気が抜けた後の大気は二酸化炭素が主成分となり、大気の濃度も薄くなります。その結果、温室効果が薄れて温度はどんどん下がって行き、二酸化炭素は海に溶け込んで現在の大気の状態に近づき、空も晴れ渡って地球は安定期に入ります。

初期の地球の大気は還元的と酸化的のどちらだったのか？

　ここで、生命体にとって重要な酸素は、非常に強い化学活性のために金属元素や炭素原子と結合して酸化物になってしまい、大気中に遊離して存在することはほとんど希であったと思われます。生命が発生した 20 ないし 40 億年の頃の大気の組成については、以前は、生物の発生には還元的環境が必要であるという考えが先に立って、炭素はメタン、窒素はアンモニアの形で存在していたと考えるのが主流でした。しかし火星や金星の大気について得られた情報から類推して、炭素が二酸化炭素か一酸化炭素になっているような僅かに酸化的雰囲気を考

えるべきだという意見も現れています。さらに、地球上では不安定で存在していられない分子やメタノールやエタノールのような簡単な有機分子が宇宙空間に存在していることが、電波天文学によって明らかにされています。

コラム 10 ティティウス―ボーデの法則

　1772 年、ティティウスとボーデが、太陽を取り巻く惑星の太陽からの距離の間には、ティティウス―ボーデの法則またはボーデの法則と呼ばれることになる簡単な法則があることを発見しました。地球軌道の長半径を長さの単位（天文単位）としたとき、各惑星の距離から 0.4 を引いた値は 0.3 の 2 の（n－2）乗倍（地球は n＝3 で距離に直すとちょうど 1.0 になります）になるというのです。ここで n は太陽系の惑星の順番に相当する 1 から 10 迄の整数です。5 番目の惑星が欠けているとすると、1 番の水星と 10 番の冥王星を除けばこの法則は非常に良く成り立っています。この二つの星の軌道は、円に極めて近い他の惑星の軌道に比べて大きくひしゃげた楕円形になっており、例外として除外すれば、法則の信憑性はかなり高いと思われます。（冥王星については、国際天文学会が 2006 年 8 月 24 日の総会で惑星の仲間から外すことを決議したと報じられました。）バーラージュやシュトルーベなどは、「これは太陽系の素晴らしい特徴であり、宇宙進化論はこの規則性を説明できなければならない」とまで述べていますが、他方これは単なる偶然に過ぎないという意見もあります。ともあれ、この法則に従えば、n＝5（地球の軌道半径の 2.8 倍）の位置には惑星がなく、代わ

りに小惑星帯が広がっているわけです。

　最近、名古屋大学太陽地球環境研究所の参加する国際観測チームが、太陽系外に恒星と二つの惑星から成る惑星系を発見したと報じられました。それによると、それぞれの明るさや天体間の距離が我が太陽系の太陽、木星、土星の恒星と良く似ており、傍に地球に似た惑星の存在する可能性もあるとされています。

　恒星の重さは太陽の約半分で、その周りを回る惑星は木星の 0.71 倍、土星の 0.91 倍であり、恒星と二つの惑星との距離の比率も、それぞれ太陽と木星、太陽と土星の距離の比とほぼ同じであるということです。このことは、ティティウス―ボーデの法則が単なる偶然などではなく、深遠な意味を持っていることを示唆しているように思われます。

表1　ティティウス―ボーデの法則

惑　星	n	TB則	軌道長半経比	軌道角傾斜角	離心率	質量（kg）
水　星	1	0.55	0.387	7.00	0.206	3.03×10^{23}
金　星	2	0.70	0.723	3.40	0.007	4.87×10^{24}
地　球	3	1.00	1.000	0.00	0.017	5.98×10^{24}
火　星	4	1.60	1.524	1.85	0.093	6.42×10^{23}
――	5	2.80	――			
木　星	6	5.20	5.203	1.30	0.049	1.90×10^{27}
土　星	7	10.00	9.555	2.49	0.056	5.69×10^{26}
天王星	8	19.60	19.218	0.77	0.046	8.66×10^{25}
海王星	9	38.80	30.110	1.77	0.009	1.02×10^{26}
冥王星	10	77.30	39.540	17.20	0.249	1.47×10^{25}

　　太陽の質量　　1.99×10³⁰kg
　　ティティウス―ボーデ則　　軌道半径長比＝0.4＋0.3×2ⁿ⁻²

4.2 押し流される大陸

ウェゲナーの大陸移動説

南アメリカ東岸とアフリカ西岸は良く似ている

　世界地図を見ると、大概の人は南アメリカの東岸とアフリカの西岸が驚く程良く似ていることに気がつきます。ウェゲナーは、このことと、生物種の分布が両者の間で連続的に繋がっていることから、かつてはすべての陸地が一つの大陸に纏まっていたのではないか、そして何らかの理由でそれらが分離し始め、現在の地形になったのだという大陸移動説を唱えました。そして、この原大陸をパンゲアと名付けました。

　彼の説は、始めは地質学者に全く相手にされませんでした。大陸を移動させる駆動力について納得の行く説明ができなかったからです。しかし、その後地磁気の研究によって、地磁気の分布もパンゲアの存在を裏付けていることが明らかとなり、大陸移動説は確からしくなって来ました。

プレート・テクトニクス

世界大亀裂の発見

　大西洋の海底に電信ケーブルを敷設するために始まった海底の調査

が契機になって、大西洋の中央を突っ切って巨大な海底山脈が存在することが分かってきました。これにはフランスの物理学者ポール・ランジュヴァンが開発したソナーが大いに貢献しています。やがて、この山脈は他の大洋にまで伸びていて、地球を取り巻く"中央海嶺"を形成していることが分かってきました。

　第二次大戦後の研究によって、この海嶺の中央の軸に沿ってかなりの長さの深い峡谷のあることが発見され、"世界大亀裂"と名付けられました。世界大亀裂によって地殻は幾つかの大きなプレートに分けられています。これらはギリシャ語が基になって、テクトニク・プレートと呼ばれ、地殻の変化をプレートの概念を用いて研究する学問がプレート・テクトニクスです。

ハワイ諸島は一列に並んで日本列島に年々近づいている

　テクトニク・プレートの発見によって、大陸移動のメカニズムが明らかになってきました。アメリカの地質学者ゲスは、1960年に、大西洋中央の大亀裂の位置で、溶岩が遥か底の方から次々とゆっくり沸き上がってきて、表面付近で硬化しつつ二つのプレートの間を押し広げている証拠を示しました。こうしてプレートが拡がっていくにつれて、大陸も1年に2センチから18センチの割合で引き離されて行くのです。つまり、大陸は漂流するのではなく、押し流されるのでした。その顕著な例を私たちはハワイ諸島に見ることができます。ハワイの島々は、生成した年代の古い順に一列に並んで、日本列島に向かって年々近付いているのです。

合体・分裂を繰り返す大陸

マントルの対流による地殻の歪みで大陸は
合体と分裂を繰り返す

　このような変動をもたらすエネルギーの源は、地殻の下にある高温高圧で流動状態になったマントルが互いに正反対の方向に回る対流を形成することによると考えられています。これによって、隣接する二つのプレートは押し広げられ、それらの反対の端は隣のプレートに押し付けられることになります。二つのプレートがゆっくり押し付けられるときには皺になって山脈ができますし、速く進行すれば相手の下に潜り込んで溶けてしまい、海底がこれに引き込まれると"海溝"が形成されます。それに伴って、地殻には歪みに伴うエネルギーが蓄積されていき、やがて地震を誘発することになります。

　現在では、噴火はプレート・テクトニクスと密接に結び付いていることが知られています。地球の表面は何枚かのプレートに分かれており、プレート同士の境界線に沿って火山が並んでいます。

　このようにして、大陸は合体と分裂を何回も繰り返すことになります。パンゲアが最後に形成されたのは、恐竜が繁栄しようとしていた2億2千500万年前、そして分裂が始まったのは1億8千万年前のことです。プレートの動きそのものは非常に遅いため、カタストロフィーを引き起こす心配はありませんが、プレートが係わった局地的な破壊が起こることは免れません。それが火山の噴火と地震です。

噴火は何故起きる

休火山こそ潜在的な危険性をはらんでいる

　プレートの境界線は地殻の亀裂となっており、"断層"とよばれます。断層は構造的に弱いため、ところによっては、地殻の遥か下の方から熱や溶岩が上がって来ます。それが温泉や蒸気の噴出となって現れるのです。間欠泉は、地下水が熱くなり過ぎて蒸気圧が臨界点に達し、熱湯を周期的に噴出させる現象です。場所によっては、その熱がもっと劇的な様相を呈することがあります。熱によって溶かされた岩石が溶岩となって次々に噴出し、だんだんと積み上がっていきます。私たちには、雲仙普賢岳の噴火で出現した溶岩ドームでお馴染みの現象です。

　この溶岩ドームの大きく成長したものが火山で、その後も活動を続けているものも、活動を止めてしまったものもあります。長期にわたって活動を続けている火山は危険度が低く、逆に休止している火山のほうが要注意です。今から50年位前までは、長いこと活動していない火山は噴火の恐れはなくなったとして"死火山"と呼んでいましたが、現在は死火山という分類は止めて、すべて休火山と呼ぶことになっています。

　実はこの休火山こそが潜在的な危険をはらんでいるのです。長い間活動を休止していた火山では、溶岩の通路である中央の穴は完全に固まっており、なにも起こらなければ問題はありませんが、たまたま長い休止期間の後で、突然過剰の熱を生み出し始めると深刻な事態になります。地下で作り出された溶岩は出口を塞がれているために、次第

に圧力が高まり、ついには頂上を破って、ガス、蒸気、岩石や溶岩を噴出します。もし火山の下に地下水が溜まっている場合には、水蒸気爆発を起こして山の半分以上も吹っ飛んでしまうような惨事が起こることになります。わが国では、磐梯山にその痕を見ることができます。

地震のエネルギー

地震はプレートの境界で歪みのエネルギーが解放されて起きる

　地震も火山と同じく、テクトニク・プレートの境界に歪みがたまって蓄積されたエネルギーが解き放たれることによって起こります。エネルギーがたまり過ぎる前に何回も適度な大きさの地震を起こしてエネルギーを解き放っている場所はかえって安全です。ところが、長いこと大きな地震も無く、地震の怖さをほとんど忘れているような所は、巨大地震に襲われる危険があるのです。その良い例が、1995年に起きた阪神大震災（兵庫県南部地震）そして2011年の東日本大震災でした。

　噴火に比べれば、地震の方が避けようがないだけ遥かに甚大な被害を及ぼします。地震の発生が予知できれば、被害の広がりを防ぐことができる筈ですが、世界有数の地震国であり、地震の研究で世界の先頭を走っている我が国の地震研究でも満足のいく成果は得られていません。現在予想されている最悪の事態は、太平洋ベルト地帯に明日にも発生するであろう東海地震、および近畿・四国にまたがる南海・東南海地震です。これらの地域には、手厚い監視体制が敷かれています

が、皮肉なことに、阪神大震災を始め、最近の大きな地震はこれまで予測されていない場所で起こっています。今では、地震予知連絡会も、短い時間スケールでの地震の予知は不可能であることを認めています。

4.3 生命はどこから

三つの考え方

生命が偶然誕生した可能性は完全に否定されるのか？

　生命が地球上にどのようにして出現したのかについては、三つの説に大別されます。すなわち、（Ｉ）生命の誕生は超自然的な現象ないし全くの偶発的な出来事である、（Ⅱ）生命は宇宙からやって来た、（Ⅲ）原初の地球の置かれた環境の中で化学的な過程を経ながら、無機物から有機物、有機物から生体物質へと段階的に進化した、という考え方です。

　第１の考え方には、神あるいは超自然的な宇宙の存在が生命を創造したという考えと、全く起こり得ないような偶発的な出来事であったという主張の二つが含まれますが、これではどうにも証明のしようがなく、問題の解決は永久に不可能で、科学者ならずとも満足は得られないでしょう。しかしながら、コクゾウ虫のような小さな生き物が何もない所から湧いてくると長いこと思われていましたし、ルイ・パスツールが実験によって否定するまでは、微生物は自然に発生するという意見が大勢を占めていました。現在ではそのような考えは完全に否

定されていますが、起こり得ない筈のことがある時たまたま起こったのだという主張を全く否定することは不可能です。

宇宙空間に有機分子が存在することが宇宙種子説を支えている

　次に、第2の考え方も以前からありました。すでに1908年に、スウェーデンの化学者アルレニウスが、地球上の生命は宇宙から種子の形で飛来したという"宇宙種子説"を唱えていますが、有名な天文学者のフレッド・ホイルが地球外生命は彗星に乗って地球に到達したという説を提唱して注目されるようになり、この説を支持する意見もかなりあります。しかしこの説では宇宙でどうやって生命が誕生したのかという疑問がそのまま残されてしまいます。その場合には、第3の説で原初の地球に課せられる制約に拘ることなく、いくらでも生命の誕生に好都合な環境を仮定することも許されますが、そのように都合の良い環境が宇宙に実在することを証明することはまず不可能で、その意味で完全な答えが得られたことにはなりません。

宇宙の知的生命体を求めて

地球外知性体との交信は実現するか

　宇宙には大雑把に計算して1億ないし100億の星が地球と同じ様な生物の生存に適した条件を備えていると思われています。したがって、

地球上の生命が宇宙から飛来したかどうかはさておいて宇宙に知的生命体を探そうという動きが出てくるのは当然と言えます。1950 年、研究所のキャフェテリアでのフェルミの一言に触発されたフランク・ドレイクがオズマ計画を立ち上げ、結局失敗に終わったものの、その経験を下敷きにして、地球外知性体探査計画 SETI がカール・セーガンらの強力なバックアップで発足し、実行に移されました。74 年 11 月 16 日、2 万 5000 光年離れたヘラクレス座の方向にある M13 球状星団に向けて電波が送り出されました。その電波には、太陽系の中の地球の位置、人間の物理的、化学的、生物学的性質等の他に、宇宙共通の言語として数学の法則を電波に乗せています。もし首尾良く相手が通信を受け取ったとして、返事が返って来るのは 5 万年後となります。

無機物から有機物が生じた！

無機物と有機物の間の壁は越えられないものではない

　当然のことながら、第 3 の考え方が現在の一般的な考え方になります。今から 180 年程前までは、生物の身体を構成している物質や生物の排泄物は有機物と呼ばれ、無機物からは作り出せない物と考えられていました。したがって、生命の誕生を証明するためには、まず無機物から有機物を作り出せることを示すことが必要でした。

　1828 年に、ヴェーラーは、無機物であるシアン化アンモニウムの水溶液を加熱すると有機物である尿素が生成することを見いだし、無機物と有機物の間に越えることの出来ない壁が存在する訳ではないこと

を示しました。そ
れから1世紀以上
経った1953年、ミ
ラーが水素、アン
モニア、メタンと
水蒸気を含む気体
の放電によって、
様々な有機化合物
が生成することを
示しました。この

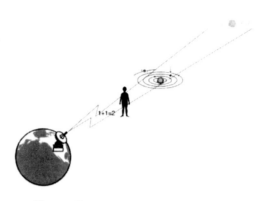

図4.1 地球外知性体探査（SETI）計画

実験に刺激されて、放電だけでなく熱、紫外線、ベータ線やガンマ線
をエネルギー源とする多くの実験が行われ、豊富なデータが蓄積され
ています。

コアセルベートと生きている池

一世を風靡したオパーリンのコアセルベート説

次の段階は、簡単な有機化合物から生体物質のような複雑な化合物
が作られる過程を証明することです。1924年に、ロシアの生化学者オ
パーリンは太古の海の中に生成したコアセルベートが生命の始まりに
なったという説を発表して多くの人の注目を集めました。コアセルベ
ートというのは、蛋白質などの水溶液にアルコールや塩を加えた時に
生ずる物で、濃厚溶液を小さい液滴の形に分離する現象としてコロイ

ド学者によって 20 世紀始めに見付けられていたものです。オパーリン
の説は正に一世を風靡した観があり、私には彼の著書「生命の化学」
が、1950 年代、生化学のバイブルのように扱われていたという記憶が
あります。

生きている池の中で自己調節機能が生まれる

　しかしながら、このオパーリンのコアセルベート説は 1 個の細胞が
初めて生じる際の形の面を上手く説明するけれども、その小さい粒の
中に生活の反応が仕込まれる仕組みについてはなにも答えていないと
いう批判も出ました。そのような批判をする人達が考え出したアイデ
アが、"生きている池"というものです。ある一つの池の中で一方から
流れ込む物質が順次化学変化を受けて他方から流れ出るような状況が
生まれ、それに次々と別の反応が側面から関与するようになって、遂
にはそれらの反応の相互の関連が閉じた環を形成して、自己調節機能
を持つようになると考えるのです。そしてこのようにして出現した自
己調節機構のなかで、より安定性の良い物が淘汰によって生き残り、
進化するにつれて空間的に小さくまとまり境界がはっきりしてきて、
遂には生命体が出現するという筋書きが描けるでしょう。しかし勿論
これで問題がすべて解決した訳ではありません。生命の神秘を解明す
る道はまだまだこれからも続きます。

4.4 ビーグル号航海と進化論

進化理論の芽生え

ラマルクの進化論とライエルの斉一説

　南アメリカ沿岸の水路調査とクロノメーターによる経度測定を目的とする南半球周航に旅立つビーグル号に、ナチュラリストとして乗船を許されたチャールス・ダーウィンは、行く先々の地質、気候、動植物、住民の暮らしについての調査と標本の蒐集に努めました。この1831年に始まる5年間に及ぶ旅の間に、彼の頭の中には徐々に後の進化理論の芽生えが醸し出されていきました。その下地となったのは、船の中に持ち込んだライエルの「地質学原理」に表された新しい地質学と、その第2巻に記載されていたラマルクの進化論とそれに対するライエルの反論でした。ラマルクは自然には生物の変化を引き起こす力が備わっているとし、キュヴィエの"種は不変であり、天変地異が種の交替をもたらす"という天変地異説に異を唱えていました。

　ライエルは、地球規模の大きな変化は小さな原因が長い時間積み重なった結果であるとする斉一説の第一人者でした。彼はラマルクの進化論には反対の立場を取っていましたが、斉一説はそれと意図せずに自然現象を進化論的に言い表すことになり、後に、ライエル自身がダーウィンの理論に与することになります。

　ビーグル号は、1832年12月に、アルゼンチン南端のティエラ・デル・フエゴ島に寄港しますが、その時に未開のフエゴ人の集団を見たダーウィンは、生涯忘れ得ないほどの大きな驚きを受けたといいます。

そして、「我々の祖先はきっとこんな風だったに違いないという考えが頭に浮かんだ」と大著「人間の由来と性選択」の最終ページに書き著しています。

アルゼンチンでのダーウィン

大型動物絶滅に対する漸近説と天変地異説

　1833 年の 8 月に、ビーグル号はフォークランド諸島を経てアルゼンチンに到着し、ここで行われた数回の内陸旅行でダーウィンは素晴らしい成果を挙げます。特に、この時の発掘の成果を基に、南アメリカの哺乳類の化石種と現世種の間に明らかな類縁関係が見出されたことについての考察は、後に系統学の理論へと発展することになります。「ビーグル号航海記」の中で、彼は化石の状態で見つかった大型動物が絶滅した理由について考え、天変地異説を退け漸進説を唱えています。もしこれらの動物が天変地異のせいで滅んだとするなら、地球全体が何らかの影響を受けた痕跡が残されている筈であるのに、パタゴニア地方の地質を調べると漸進的な変化しか受けていないことが結論されるからであるとしています。さらにダーウィンは、絶滅の前にはその種の生存条件が悪化するために、必ず種の個体数が減少した筈だと考えました。これもまた漸進説に有利な考えでした。

　しかし、アルヴァレズ親子らの研究によって、地球が繰り返し天変地異に襲われ、そのために恐竜を始め多くの種が絶滅したことが示され、今では事実として受け入れられるようになっていることも事実です。

アルゼンチン滞在中に、ダーウィンは二度にわたってアンデス越えをおこなっていますが、特に二度目のアンデス越えでは、大きな谷の両側に広がる礫の段丘を観察して、この山脈の形成が漸進的な隆起によるものであることを確信しています。同時に、アンデスのチリ側と東側の谷とでは、気候も土壌もほとんど同じであるのに、動植物相に著しい違いが認められることから、ダーウィンは、現世の動物が出現して以来、アンデスがほぼ絶対的な地理的障害をなしてきたことに確信を持ちました。

ダーウィンの胃袋に収まったゾウガメ

ガラパゴスでのダーウィン

　1835 年 9 月 15 日から 5 週間程、ダーウィンはガラパゴス諸島を訪れました。ガラパゴス諸島は南米のエクアドルの海岸から 1000 キロメートルの沖合にある太平洋の火山群島です。ダーウィンは、ここで主に爬虫類と鳥類を研究しました。ガラパゴスの生き物達は、独自の特徴を持ちながら、南アメリカとの類縁性を示しており、地質学的にはかなり新しいこの群島がどのようにしてこのような生物相を持つようになったのか、彼には謎でした。

図4.2　島ごとに異なる
　　　ガラパゴスゾウガメ

彼は、群島固有の爬虫類、特に水生、陸生二種類のガラパゴスイグアナを解剖し、標本を持ち帰りましたが、巨大な陸生のガラパゴスゾウガメには注意を払いませんでした。ガラパゴスを離れた時、ビーグル号は30頭のゾウガメを積んでいましたが、全部ダーウィン達の胃袋に収まってしまい、残った甲羅はコックが海に捨ててしまったために、ゾウガメについての標本は何も手元に残らず、ダーウィンは後で後悔することになります。

ガラパゴスの動物たち

変種とは生まれつつある種である

　ガラパゴスの動物は、全て島ごとに異なる特徴を持っていましたが、その違いは変種の範囲におさまるように思われました。少なくとも、僅かな例外を除いて、ガラパゴス諸島にだけ見られる、スズメほどの大きさの特殊な陸鳥グループ、アトリ科のフインチについて、ダーウィンはそう考えました。「航海記」の中で、ダーウィンは、極めて慎重な言い回しながら、互いに近縁なこれらの鳥が全てアメリカ大陸の同一種に由来し、各島で離ればなれに生活しているうちに大きな変異が生じたと推測しています。

　ダーウィンの帰国後、彼の持ち帰った標本を研究したグールドは、これらのフインチを別種と同定し、4属に分類しました。このグールドの同定に助けられて、後に"変種とは生まれつつある種である"という一般命題が生まれることになります。

帰国した時点でダーウィンは
前途有望な学者として評価されていた

　その後、南太平洋からインド洋に入り、キーリング諸島で、環礁の形態を調べる機会を持ったダーウィンは、地質学現象と生物学的現象を結びつけた研究を行いました。彼の成果は、現在のあらゆる珊瑚礁形成理論の土台となっています。

　ビーグル号は、その後喜望峰を回って大西洋に入り、南米のバイアに寄港したあと、1836年10月2日ファルマス港に帰還しました。航海中、ダーウィンは航海日誌をつけ続け、科学的な観察や考察はもちろんのこと、あらゆることについて細大漏らさず書き綴り続けました。また、寄港する度に、家族や友人への手紙を託す傍ら、ヘンズローに箱詰めにした大量の標本を送り続けました。そのために、ビーグル号がイギリスに帰りついた時には、彼はすでに一人前のナチュラリスト、前途有望な地質学者として評価されていました。

　早速、彼は研究にとりかかると共に、論文や航海の科学的成果の執筆にとりかかります。一方、ビーグル号が持ち帰った標本類は、それぞれの専門家に委ねられました。1839年からの8年間に、「ビーグル号航海記」に始まり、「ビーグル号航海の動物学」、「ビーグル号航海の地質学」が相次いで刊行されました。

4.5　進化論の登場

種の起源

ダーウィンとウォレスのプライオリティ争い

　ダーウィンが生物の地理的分布についての基本的な考察を完成させた 1850 年代半ば、ウォレスもまた独自の研究に基づいて、進化のメカニズムを論ずる"自然選択による系統理論"の論文を書いていました。彼の理論には、ライエルの新しい地質学に加えて、フンボルトの生物地理学、マルサスの人口論が下敷きになっていました。ライエルはダーウィンのプライオリティが奪われる事を心配し、ダーウィンに"種の起源"に関する論文を発表することを強く勧めました。結局、二人の論文は 1858 年 6 月に同時にリンネ学会で発表され、二人の人柄もあって、プライオリティ争いは回避されました。

　ダーウィンの最も重要な著作と考えられている「種の起源」が出版されたのは、1859 年 11 月でした。1250 部刷られた初版は即日完売となり、すぐに第 2 版 3000 部が出版されました。「種の起源」には、"自然選択による変化を伴う継承"の理論が記され、博物学的な"証拠"がそれを裏打ちしていました。

オックスフォードの論争

進化論は宗教的束縛から完全に解き放たれた

　反応は騒然としたもので、新理論の支持者すなわち科学界の急進派と敵対者すなわち保守派とが真っ向から対立しました。最も強力な敵対勢力はキリスト教界でした。人間が下等な動物から進化したなどという説は神に対する冒涜であると言うのがその理由でした。

　1860年の6月、オックスフォードで、今では伝説と化した英国科学振興会の定例会が開かれ、両派の間の論戦が始まりました。ダーウィンは健康を害していて出席しませんでしたが、"ダーウィンのブルドッグ"と呼ばれたハックスリーと自然神学で理論武装したオックスフォード主教ウィルバーフォースとの間で論戦が繰り広げられました。最後にこの論争に決着を付けたのは、ダーウィンの友人であったフッカーでした。彼は、ウィルバーフォースが科学的に全く無知であることを容赦なく立証してみせて、聴衆の喝采を博し、さすがの主教も沈黙してしまいました。これによって、少なくとも表立っては進化論に軍配が上がりました。科学が神学的、宗教的束縛から解き放たれるという重大事件となったのでした。

ダーウィンの進化論が与えた影響

　ダーウィンの進化論は、19世紀のイギリス社会に大きな影響を与えました。進化論は、生物学の分野に止まらず、社会学を始め様々な分野に持ち込まれることになり、社会心理学や優生学といった学問が隆

盛になります。

　反面、生物学における自然選択理論は、ダーウィン以外に正確に理解している人間を欠いていたためもあって、彼の死後急速に勢いを失います。ダーウィンは、自然選択ないし自然淘汰と変異の二本の柱で生物の進化を説明しようとしましたが、変異については何が原因で、どんなプロセスで起こるのかについては全く触れていないことも弱点でした。自然選択理論が科学的に不完全なものであることは、現代の我々の目から見れば、むしろ明らかであり、様々な反ダーウィン理論が登場するのは当然の成り行きであると思われます。

ダーウィン後の進化論

相互扶助論と棲み分け理論

　ロシアの生物学者であると同時に革命家でもあったクロポトキンは、ダーウィン本人の業績は高く評価しつつも、ダーウィン以外の生物学者たちがダーウィン理論の競争的側面のみを強調し過ぎると批判し、"相互扶助論"を展開しています。彼が見慣れていたロシアやシベリアの生物は、乏しい資源を奪い合うよりも、協調することでより有効に資源を利用しつつ進化してきたと受け取ったのです。日本の生態学者今西錦司も、京都の鴨川でのカゲロウの生態観測から、生物体は相互に協調するべく進化してきたという"棲みわけ理論"を提唱しています。

甦った自然選択理論

　1900 年にメンデルの遺伝理論が再発見され、遺伝学者たちがメンデルの理論と自然選択理論が両立するという実験事実を蓄積していくことで、集団遺伝学の理論が確立し、自然選択理論は総合進化論として甦りました。19 世紀の半ばに、メンデルがオーストリアの修道院で発見した遺伝の法則は、世に知られることなく 35 年が過ぎ去りましたが、1900 年になって、フリースによって、初めて世に紹介されて広まっていきました。これが、メンデルの法則の再発見です。

　集団遺伝学の成果の一つは、進化における個体数の少ない小さな集団の重要性を見出したことです。大きな集団に比べて、小さな集団では突然変異で生じた個体が少ない世代数のうちに多数派になる確率が大きいというのです。大きな集団は安定に存続するには都合が良いけれども、環境の激変が起こった場合は、それに適応する変化が生じ難く、滅亡への道を辿ることになります。この小さな集団は地理的な隔離などが原因で発生します。この説は、オーストラリア大陸やガラパゴス諸島の特異な生物相を良く説明します。

中立進化説

集団遺伝学と分子生物学のドッキング

　分子生物学の発展につれて、生物の目に見える形質ばかりでなく、遺伝子自体も進化していることが分かってきました。木村資生は、こ

の遺伝子の進化を説明する"中立進化説"を唱えました。これは集団遺伝学と分子生物学をドッキングさせた独創的な理論でした。

　前にでた総合進化論では、生物にとって有利な突然変異が起きると、それは必然的に自然淘汰を受けつつ集団の中に広がるというものでした。しかし、突然変異の実験的研究が進むと、ほとんど全ての突然変異は、どう見ても生物にとって有利とはいえそうもないことが分かってきました。

突然変異の大部分は有利でも不利でもない

　この突然変異のジレンマを救ったのが中立進化説でした。この説では、遺伝子に起こった突然変異の大部分は有利でも不利でもない中立的な変化であるという事実に着目します。そして、その中立的な突然変異が、全く偶然に種の間に広がると考えるのです。したがって、中立的変異が起きても子孫を残す確率は変わりません。中立的な突然変異を持った子孫が少しずつ増えて行くか、それとも子孫が残らずに突然変異が消えてしまうかは確率の問題であるということになります。ただし、この理論は一旦生じた変異が広がるメカニズムについては説明しますが、新しい変異種が出来るメカニズムについては何も触れておらず、その意味では完成された理論とはいえません。

断続平衡論

進化は急激な変化と変化の起きない状態との繰り返し

　アメリカの古生物学者のエルドリッジとグールドが提唱した新しい進化論、"断続平衡論"も世界的に注目を集めています。彼等の主張は、進化はダーウィンが考えたように一定のスピードで徐々に進むものではなく、短い間の急激な変化によって起こるというのです。そして、急激な変化の後は、かなり長い間、変化の起きない状態が続きます。いわば、進化には静止している時期と激しく変化する時期とがあるとするのです。この理論は化石の研究によって裏付けが得られています。すなわち、新しい姿や形をした化石が突然現れた後、相当長い期間にわたって、安定した状態のままほとんど変化しない化石が見つかることが知られています。「キリンの首はなぜ長い？」という謎が投げかけられていますが、中間の長さの首を持ったキリン類の化石は見つかっておらず、突然伸びたという答えしか無いように思われるのです。

今西錦司の棲みわけ進化理論

生物は生存できる空間を拡大しながら棲み分けていった

　前に紹介した今西進化論は"棲みわけ"と"種社会"を中心的な概念として成り立っています。今西進化論は、進化における自然淘汰の役割を全面的に否定することで、ダーウィン進化論と決定的に対立する

ものです。今西は、進化の基本的な単位は個体ではなく種であると考えます。今西は棲みわけという現象によって区分される種社会という概念を導入していますので、今西理論における進化の単位は種社会ということになります。さらに、今西進化論では、地球上の 130 万種もの多様な生物が、生存競争を繰り拡げるよりも、生存出来る空間を拡大しながら棲みわけていったと考える方が妥当であると主張します。

生物の種が変化をする時には種全体が同時に変化する

種というものは、変化しないで済むものならば、なるべく変化しないものであるというのが、もう一つの今西進化論の考えです。今西は、こうした保守的な特徴を持つ種が、全く偶然に起こる突然変異によってばらばらに進化することはないといいます。生物の種がどうしても何らかの変化をしなければならない時には、種全体が同時に変化するというのです。今西は、このことを「種は変わるべき時に変わる」といういい方をしています。ただ、彼も変化のメカニズムについては何も述べていません。

ウイルス進化論

ウイルスは遺伝子の変異に関与する

最近のバイオテクノロジーの進歩によって、それまで人間に害を与えるだけの存在であると思われていたウイルスが、役立つ存在にもな

りうることが明らかになってきました。その一つが、ウイルスは遺伝子の変異に関与するという事実でした。この結果を踏まえて、中原英臣と佐川峻は"ウイルス進化論"を唱えました。この理論は、今までの進化論が与えられなかった変異のメカニズムに対する一つの解答を与えるものとして注目されます。ウイルス進化論については、次の節でお話ししましょう。

　ともあれ、生物相の驚くべき多様性を考える時、到底単一の進化理論だけですべての生物の成り立ちが説明できるとは思えません。生命の仕組みの驚嘆すべき巧妙さから見て、恐らく自己の置かれた環境に最大限適した進化の道を選んできたに違いありません。ですから、多様な進化の道に応じて、様々な理論が存在して当然であり、それぞれが、進化の真実の一面を捉えていると考えるべきでしょう。

4.6　微生物とウイルスの世界

最初の生命体"微生物"

人類は微生物の正体を知らずにその恩恵を受けてきた

　地球上に誕生した最初の生命は微生物と考えられ、30億年以上も前の岩石に微化石という微生物の化石として残されています。人類はそれと知らずに微生物を生活の中に取り入れて、計り知れない恩恵を受けてきました。紀元前3000年頃には、すでにビール造りの記録がエジプトの王の墓の壁画に刻まれています。現在、私たちが飲食している

醸造・発酵食品のほとんどは紀元前に誕生しています。

　微生物という語は、"非常に小さな生き物"を表す言葉として、1878年に初めて用いられました。当時は、微生物の中の主たる存在である細菌を意味していました。微生物が動物であるのか植物であるのか、はたまた何かほかのものに属しているのかもはっきりせず、ましてや、地球上の生命が目に見えない微生物の活動無しには存在し得ないことなどは、到底理解していませんでした。

微生物の存在によってわれわれは生かされている

　もし全ての微生物が何らかの自然の大変動で死滅したならば、大気中の二酸化炭素が減少を始め、それと共に植物の活力の低下が起こるでしょう。続いて、有益な細菌により腸内で通常作られているビタミンの欠乏による未知の病気の発症や、水源の永続的な汚染といった、様々な困難に見舞われることになります。そして、最後に私たちは、朽ちることのない動物の排泄する有機物や死んだ動植物の堆積に押しつぶされてとどめを刺されることでしょう。

　1684年に、レーウェンフックが簡単な顕微鏡を使って初めて微生物を観察し、人間が様々な微生物に取り囲まれていることを証明しました。しかし、微生物学が確立するのはそれから200年も後のことでした。微生物のような小さい生物がわらや肉汁から自然に発生すると考える自然発生説は、パスツールによって「すべての生物は生物から生まれる」ことが証明された19世紀半ばまで根強く残っていました。最後に、微生物の研究を"学"として成立させたのがコッホでした。

愚直に追求した地味な仕事に光が当てられた

　2015年のノーベル医学生理学賞の受賞者である大村智は、ゴルフ場の土の中から見つけた菌を基にメルク社と共同研究によって抗寄生虫薬を開発し、アフリカ・中東の年間4万人もの人々を失明から救ったことが受賞理由でした。殊にメルク社がこの薬をWHOに無償で提供し、何億人もの貧しい人々に救いの手を差し伸べていることは、人類に幸福をもたらすことを企図したノーベルの意志に沿う偉大な業績であり、野依良治博士が指摘したように、ノーベル平和賞に値すると言っても過言ではありません。

　天然有機化合物の分野は日本のお家芸であるとはいえ、地味な学問であり、ノーベル賞とは縁遠いと思われてきただけに、今回の受賞は画期的である異色の受賞であると言えます。大村さんの仕事は、梶田さん達のきらびやかな研究の対極に位置する研究として記憶されるべきでしょう。

コラム 11　生命の自然発生説を巡る論争

　生命の自然発生説を巡ってパスツールと彼の競争相手プーシェが行った実験は極めて単純な物でありました。牛乳、酵母エキス、干し草の抽出液といった栄養分に富んだ溶液をフラスコに入れ、十分煮沸して中の微生物を殺菌すると同時に、空気を追い出したところでフラスコの口を閉じます。この状態で保存する限りフラスコの中に微生物が発生することはありません。

ところが、ここでフラスコの口を開けて空気を導入するとカビが発生することが認められます。これが空気中にもともと存在していたカビが混入したためそれが増殖したのか。空気中に含まれる生命の発生を促す生気成分と溶液の栄養分との作用により自然発生したのかという二つの意見に分かれていて決着がつきませんでした。

　そのため導入する空気を殺菌する目的で様々な方法が考案されました。しかし当時は直接微生物を検出する手段がなかったため決定的な結論を得ることはできませんでした。実験の結果カビが発生しても、空気や栄養液の殺菌が不十分であったためという批判を退けることはできませんでしたし、逆に何の変化も起きなかったとしても、それは空気の中の生気成分が殺菌操作によって壊されてしまったか殺菌操作が激し過ぎて溶液中の栄養分が失われてしまったせいではないと相手を納得させることが出来なかったからです。

　プーシェは水銀中を潜らせることによって空気を殺菌する方法を採用し、この実験でカビの発生を認めました。これに対するパスツールの追試実験でも実に90％の割合でカビが発生してしまいましたが、彼はこれら90％の実験例を操作ミスによるものとして無視することにしました。

　水銀実験を巡る応酬の後、パスツールは栄養液を殺菌封入したフラスコを持ち出して、様々な場所で空気を封入した後、再び封じて持ち帰る実験を繰り返しました。その結果。人間が生活しているような場所で空気を採取した場合は腐敗が進行してカビが生じましたが、アルプスの標高2000メートルの氷河地帯の空気を採取した場合には20個のフラスコ中 19 個のフラスコでカビが認められないという結果を得ました。

これを受けてプーシェは標高 2000 メートルのピレネー山脈の氷河の上で空気を栄養液入りのフラスコに採取する実験を行い、8 個全てのフラスコにカビの発生を認めました。

　この正反対の結果になった二つの実験に対して、パスツールは空気を取り入れる際に自分はペンチを使ったのに、プーシェはヤスリを使ったのが原因であると断じました。ヤスリの削りくずと一緒に微生物がフラスコに混入したというのがその理屈でした。

　二人の論争に決着をつけるべく、フランス科学アカデミーは委員会を設置して「生命の自然発生論争に決着をつける研究」を懸賞金付きで募集しました。実をいうと、フランスの科学アカデミーは同時期に発表されたダーウィンの進化論に反対で、進化論が成立の根拠としている生命の自然進化説を認めない立場をとっていました。そんな訳で、審査委員会のメンバーはすべてプーシェの説に始めから反対の意見を持っており、二人の論争の勝敗は闘わずして既に明らかでした。

　気落ちしたプーシェは自分の実験結果を委員会に提出する気を無くし、結局、「腐敗が空気中の微生物によって進行すること」を示したパスツールの 1861 年の実験に対して無競争で賞が与えられました。

　これでこの問題の決着は付いたとアカデミーは考えていましたが、プーシェがピレネーで反証実験を行うに至って心証を悪くし、第二委員会を作ってこの問題を審議することになりました。当然のことながら、この委員会もプーシェに批判的なメンバーで占められ、委員会の設定した公開実験は極めてパスツールに有利な偏向した条件で行われることになりました。これに対してもっと広範囲に反証実験を行うように変更を求めたプーシェの要求は却下され、このような偏向した委員会の下での公開実験では公平な結論は得られないと判断して、彼は

公開実験を取りやめてしまいました。これで科学界の大勢はパスツールの側に回ることになりました。

実は二人の実験が正反対の結果になった原因は、彼等の用いた栄養液にありました。パスツールが用いたのは酵母から抽出した酵母エキスであったのに対して、プーシェは干し草抽出液を使いました。干し草の中には胞子が多数存在しており、胞子は 100℃で煮沸したのでは死滅しません。結果的にパスツールが酵母抽出液を用いたのが彼に幸運をもたらし、正しい結論に辿り着かせることになったのでした。

パスツールにとって農民、発酵業者、医者といった階層が味方に付いたことも大きな追い風になりました。彼等は長年の経験から微生物が自然発生することはないという感触を得ていたに相違なく、もし科学界が逆の結論を下していたならば、間違いなく民生に大きな混乱が長期にわたって続いたことでしょう。民間の伝承には間違っているものも多々ありますが、長年の経験に裏打ちされた正しい伝承もあることは疑いありません。鋭い洞察力によって、正しい伝承を拾い出し、世の光を当てることもまた科学者に求められるのではないでしょうか。

大分水界

単細胞微生物は核を持つ酵母・菌類等と
持たない細菌に分けられる

微生物には自然界に多い単細胞微生物に加え、様々な多細胞微生物も存在し、それらは単細胞微生物に比べて遥かに入り組んだ内部構造

を持ち、複雑な生殖を行います。一方、単細胞微生物にも様々なものが存在しており、複雑さの異なる二つのグループに大別され、この分別は"大分水界"と呼ばれます。これは細胞が真核生物と呼ばれる動植物の細胞に見られるような、境目のはっきりした核を含んでいるかどうかを基準にしています。

そのような核を持ったものを単細胞真核生物と呼び、これには酵母、菌類、藻および原生動物が含まれますが、生育に必要なエネルギー獲得の方法を始め、様々な点で互いに異なっています。核を顕微鏡で見ると、染色体と呼ばれる糸状の構造の遺伝物質（DNA）を含んだ明確な区画として簡単に観察できます。

これに対して、境目のはっきりした核を持たない原核生物が細菌です。この生物は比較的単純な構造をしており、明確な核を持っていません。細菌の DNA は他の生物に見られるのと同様のものですが、真核生物のそれとは異なり、細胞内に浮かぶふわふわした綿毛の塊のような様子をしています。細菌の増殖を支配する基本設計は、その他すべての細胞のそれと基本的に同じであり、他の細胞に見られるのと同種の重要な生体分子を含んでいます。つまり、細菌を含むすべての細胞は、同種の生合成経路によってその構成成分を作り出しているのです。

細菌とウイルス

細菌は生物であるがウイルスは
生物か無生物であるか決められない

　細菌や他の微生物およびその他の細胞に見られる成長と増殖の基本的法則が普遍的な類似性を持っていることは、明らかに偶然の一致ではあり得ません。この類似性は意味深長であり、今では多くの科学分野における長年の研究の積み重ねから引き出された次の二つの重要な結論が広く承認されています。すなわち、

　・細菌は地球上で最初の生命形態であった。

　・菌は 35 億年以上にわたって進化し、顕微鏡あるいは肉眼で見られる多数の複雑な生命形態を作り上げた。

　細菌がれっきとした生物であるのに対して、ウイルスは発見された時から生物か無生物かという議論が尽きません。細菌は栄養分や温度など適当な条件が揃えば、自分自身で細胞分裂を起こして増殖しますが、ウイルスは自分自身では増殖することができず、寄生する宿主の細胞の中でしか増えることができません。

　最初のウイルスは、"斑点病"とも呼ばれるタバコモザイク病の病原体として、1898 年に発見されました。この感染因子を含む液を光学顕微鏡で観察しても、感染原因と同定しうる構造体は全く見つからず、明らかに犯人は典型的な細菌の細胞よりも小さいものでした。その後、動植物に見られる他の多くの病気、例えば天然痘、黄熱病、小児麻痺、麻疹、日本脳炎そしてエイズなどは、この目に見えないウイルスによるものであることが証明されました。

ウイルスの実態と抗ウイルス剤

ウイルスは生物と無生物の中間に位置する

　ウイルスの実態は何十年もの間はっきりしませんでしたが、アメリカの科学者スタンレーが 1935 年にタバコモザイク病ウイルスの結晶化に成功した結果、この謎はある程度明らかになりました。結晶化することから見て、ウイルスは間違いなく生細胞ではあり得ません。結晶化したウイルスは氷砂糖や水晶と同じただの物質であり、乾燥した袋に好きなだけの期間保存しておくことができます。

　しかし、結晶化したタバコモザイクウイルスがひとたびタバコの葉に触れると、ウイルスは本来の姿に立ち戻り、タバコの葉の細胞内に潜り込んで増殖を始めるのです。これらのことから、ウイルスは"生命のあるもの"と"生命のないもの"の中間に位置すると考えるのが主流であるようです。

ウイルスによる病気を根本的に直す薬はない

　ウイルスに対抗する手段としてワクチンがありますが、これは予防法であって、ウイルスによる病気を根本的に治療出来る薬はありません。抗ウイルス剤としては、C型肝炎等に用いられるインターフェロンが有名ですが、これとて完全な治療薬ではありません。

　細菌には抗生物質という特効薬があるのに、ウイルスに特効薬ができない理由は、ウイルスが生物ではないことなのです。ペニシリンは細菌を殺したり生育を妨害したりするので薬として効きますが、ウイ

ルスはもともと生命活動をしていないので、"殺す"ことができないのです。また、細菌とウイルスの大きな違いは、細菌は感染しても細胞の外で活動するのに対して、ウイルスは細胞の中に入り込み、その中で増殖したり細胞の遺伝子に取り付いて感染した細胞を破壊したりすることにあります。細胞の中にまで薬を入り込ませることができないため、細胞の中のウイルスを退治することができないのです。

善玉ウイルス

ウイルスは遺伝子の運び屋

　これまでのお話では、ウイルスは感染症を引き起こす悪玉と思いがちですが、研究が進むにつれて、バイオテクノロジーに利用され、薬の生産や動植物の品種改良、さらには遺伝子治療にまで応用されるに至って、善玉の役割を担うこともあることが明らかになってきました。さらに、ウイルスの研究から極めて重要な科学的な事実が浮かび上がってきました。それは、遺伝子がウイルスによって個体から個体へと運ばれることから、進化はウイルスによって引き起こされたのではないかという考え方です。

　ダーウィン以来、すべての進化論では、遺伝子の移動については親から子へという垂直移動しか考えていませんでした。そのため、今までの進化論は、親に起きた遺伝子の変化がどのように子供に伝わり、種の中に固定されるかというプロセスだけを論じていました。

　それに対して、バイオテクノロジーの急速な進歩によって、遺伝子組み替え技術によりヒト・インシュリンを大腸菌に作らせることが可

能になったことで新しい展開が開けました。遺伝子組み替えで作られた大腸菌は一種の品種改良と見なすことが出来ますが、この場合に重要なのは、ヒト・インシュリンを作る遺伝子を大腸菌に運ぶベクターという存在です。ここでベクターとして利用されるのはウイルスと環状 DNA であるプラスミドで、バイオテクノロジーの領域では、ウイルスは"遺伝子の運び屋"と呼ばれ、人間に利益をもたらす色々な遺伝子を運んでくれるのです。

遺伝子の水平移動

猫とヒヒのウイルスの DNA が一致した！

　ウイルスなどのベクターによって遺伝子が個体から個体へと水平移動することや、移動出来る DNA の断片が細胞内に存在することが発見されたことが下敷きとなって、生物の進化がウイルスによって引き起こされるという「ウイルス進化論」という仮説が中原英臣と佐川峻によって提唱されました。このウイルス進化論によれば、ウイルスは生物でも無生物でもなく、単に遺伝子を運ぶ"道具"、すなわち細胞内器官（オルガネラ）ということになります。

　その後、このウイルス進化論は、日本人科学者によってレトロウイルス[注1]が遺伝子に進化する事実が幾つも発見されるに及んで、強力にサポートされることになります。

　その一例を挙げると、猫とヒヒの DNA に共通部分があることを見出した畑中正一の仕事があります。約 1000 万年前から地中海沿岸に棲息してきた猫のレトロウイルスの DNA とヒヒのレトロウイルスの DNA が

166

一致したのです。猫は、約 1500 万年前に 6 属 36 種に分化しましたが、ヒヒと共通のレトロウイルスをもっているのは、地中海沿岸原産の猫だけです。このことは、このレトロウイルスの起源が猫ではなく、ヒヒであったことを意味しています。今から約 1000 万年前、地中海沿岸で猫とヒヒが一緒に暮らしていた時に、ヒヒのレトロウイルスが猫に感染したと考えられるのです。

注 1) 細胞膜と同じ脂質二重膜を外側に持つ球形のウイルス。遺伝子 RNA（リボ核酸）を遺伝子の本体である DNA に変換する生活環を持ちます。特定の宿主におけるレトロウイルスの感染は、がん、白血病など多様な病気を発症させることもあれば、全然発症しないこともあります。伝染は水平にも垂直にも起り得ます。エイズウイルスもレトロウイルスの仲間です。

4.7　二重ラセン

染色体の振る舞い

染色体は遺伝子の集まり

　20 世紀始め頃、細胞分裂の際の染色体の振る舞いが詳しく研究されて、遺伝子が染色体と共に行動すると考えると、有名なメンデルの法則が良く説明されることが判って来ました。細胞が分裂する時には、まず細胞核の周囲の膜が消失して、二本ずつ組になった紐のような染

色体が現れます。分裂が進むにつれてこの二本は別々に別れ、その一本ずつが新しく相棒を作って再びペアを形成し、それぞれが二つに別れた核のなかに入ります。

　このようにして、いつも同じ染色体の一組が細胞から細胞へ受け継がれます。この過程の中での染色体の行動から見て、その結果はメンデルの法則と合致します。この観察によって、染色体が遺伝子の集まりであると考えられるようになりました。

　化学的な見方をすると、細胞核の成分は核酸と呼ばれる成分です。核酸は純粋に分離された状態では強い酸性を示しますが、生体内では必ず中和された状態にあるので、酸としての性質は強くは現れません。核酸が発見された 19 世紀後半には、すでに核酸に燐酸が成分として含まれていることが判っていましたが、その後、核酸を分解してその分解生成物を調べることで、糖と塩基が含まれていることが次第に明らかになりました。1940 年代になって、すべての成分が知られるようになり、核酸の化学構造式が明らかにされました。

核酸の立体構造

X 線回折により核酸の構造解析が可能になった

　しかし、核酸の働きを知るにはその立体構造を解明しなければならないと考えられ、何人かの研究者がこの難問に挑戦しました。挑戦者達の間の最大のライバルはノーベル化学賞受賞者であり不朽の名著「化学結合論」の著者であるライナス・ポーリングでした。

構造解析には、X線回折が使われました。X線回折は本来結晶構造の解析に使われるもので、核酸のように結晶化することが不可能な不揃いな巨大分子の混合物には応用出来ないのが通例です。ところが、核酸は水溶液中でも非常に長い形を保っている上に、異常に高い粘性を示すために、溶液の中にガラス棒を浸して引き上げると、納豆の糸のようなものがついて上がって来ます。この細い糸の中には核酸の分子が真っ直ぐに伸びて並んでいます。この糸を何本も束ねてX線カメラにかけると結晶試料と同じような規則正しい回折パターンが観測できます。このため、核酸の構造解析が実行可能になります。

ポーリングとワトソンの先陣争い

ポーリングに勝ったワトソン

　強力なライバルのポーリングと熾烈な競争を続けたアメリカの若い生物学者ワトソンはイギリスの結晶学者クリックの協力を得て、遂に核酸が二重ラセン構造をとっていることを突き止めました。彼は、アデニン、グアニン、シトシン、チミンの4種類の塩基の結合関係を調べていて、同種の塩基同士を除けば、アデニンとチミン、グアニンとシトシンが二本の水素結合[注2)]で結合したときに、同じ形になること（細胞核以外の所に多いリボ核酸ではウラシルという塩基がチミンの代わりをします）、しかもこの組み合わせ以外では同じ結合形にならないことに気が付きました。核酸は、この二種類の結合を介して二本の鎖がより合わさった形をとると結論しました。アデニンとチミン、グ

アニンとシトシンは、それぞれ互いに相補的な関係にあり、他方の鎖は逆進することになります。これによって、一本の鎖の塩基の配列が決まれば、その相手は自動的に決まってしまいます。この構造は、また、核酸中のアデニンとチミン、グアニンとシトシンの量が常に等しいという"シャルガフの通則"をも満足しています。すでに蛋白質のラセン構造、α－ヘリックスを発見して、一時は一歩リードしているかに見えたポーリングを出し抜いての逆転勝利でした。勝敗を分けたのは、結局のところ、情報蒐集力と集中度の差であったように思われます。ポーリングは一つの事に集中するには忙し過ぎたということではないでしょうか。

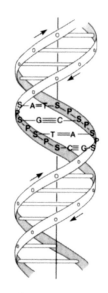

図4.3　二重ラセン

注2）　水素原子が2個の陰性な原子 X, Y の間にあって、2価のように見える結合。普通 X-H…Y の形に表示し、X-H が部分的にイオン性を持つ共有結合、H…Y が水素結合になります。陰性原子 X, Y としては酸素、窒素の場合が最も普通で、他にはハロゲンも参加することがあります。一般に水素と酸素原子のファンデルワールス半径の和よりも H…Y の距離が短いときに水素結合は形成されると考えられています。水素原子が X と Y の線上にある時に結合は最も強くなり、この位置から外れる程、結合は弱くなります。

二重ラセン構造の発見

二重ラセン構造が自己修復機能を与える

　核酸の立体構造が判って見ると、細胞分裂の際に何故同じ染色体が再生するのかという疑問は解決しました。子供の染色体は親と同じ配列にしかなり得ないのです。また、染色体の切断や異常が起きたときに働く修復作用もすぐに理解できます。染色体は放射線や化学物質等によって絶えずダメージを受ける危険にさらされているので、もしこのような自己修復機能が無ければ、生命体は急激な突然変異を繰り返し、適者生存の自然淘汰を経る暇もなく絶滅していたことでしょう。生命の巧妙な仕組みには驚嘆するほかありません。

　二重ラセン構造は、DNA に自らの遺伝情報を正確にコピーする能力を保証しますが、それでもたまにはミスコピーすることが起こります。それによって染色体異常が生じ、場合によっては、目に見える突然変異にまで進むことになります。DNA のミスコピーは偶然に起こることもありますが、外的な影響で起こることもあります。特に最近では、放射線や様々な環境ホルモンが引き起こす染色体異常が問題視されています。これらの染色体異常が個体の段階に止まるのか、あるいは変種の出現にまで進んでしまうのかは、今後の研究に待つしかないでしょう。

遺伝情報を読み解くヒトゲノム計画

　染色体は親から子への遺伝情報を伝える遺伝子を運ぶものであり、その上には親の様々な情報が書き付けられていると考えられます。そしてこれらの情報は、核酸の持つ四種類の塩基の配列の仕方によることが判って来ました。この暗号を読み解けば、生命の神秘に迫ることが可能になりますし、病気の治療や臓器や身体器官の再生にも道が開かれるという夢が持てるかもしれません。そんな訳で、人の遺伝子情報を解読するヒトゲノム計画がアメリカ、日本、ヨーロッパの協力でスタートし、つい最近計画の完了が発表されました。今後、読み解いた塩基配列の意味を解読する作業が進むにつれて人類に役立つ貴重な情報がえられることでしょう。

第5章　電子の働き

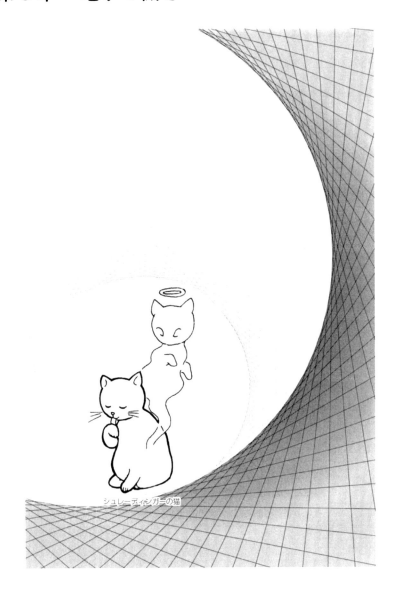

シュレーディンガーの猫

5.1 元素にはなぜ周期性が現れるのか

ボーアの原子模型

電子を引力場の中で運動する波とみなす

　ラザフォードの原子模型は輝かしい成功を収めましたが、原子がなぜ特定のエネルギー準位に安定に存在できるのかという疑問に答えることができませんでした。ニールス・ボーアはこの疑問に答えるために、ラザフォードの模型に量子仮説を適用して、ボーアの原子模型を考えました。それは、原子核外の電子を中心からの引力場のなかで運動する波と見なすことでした。

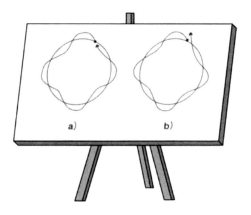

図5.1　電子軌道の長さがド・ブロイ波長の整数倍になるようなエネルギー準位だけが安定に存在できる

　中心力の影響下で運動する波は、原子核の周りを、円形や楕円形の閉じた軌道を描いて進みます。波が軌道を一周して元の位置に戻ったときに、先の波とあとの波が、図 5.1a に示したように、完全に重なれば、波は安定になっていつまでもその状態を保ちます。しかし波の位相が、図 5.1b のようにずれていると、波は干渉し合って次第に減少し

て消えていってしまいます。

原子はなぜ安定？

軌道上の波の数が主量子数、軌道の形を決めるのが軌道角運動量

　安定状態にある波は定在波といいますが、このような定在波が起るのは、軌道の長さが波の波長の整数倍になっている場合に限ります。波の波長は波の持つエネルギーの平方根の逆数に比例しますので、飛び飛びのエネルギーの値を持つ波だけが安定に存在し得ることになります。つまり、電子のエネルギーが量子化された訳です。

　軌道の上に並ぶ波の数を主量子数といい、主量子数を表すのに n という記号をあてます。n は 1 から始まる整数で、小さい程低いエネルギー状態になります。次に、電子の軌道の形を決めるのが軌道角運動量です。軌道角運動量の大きさは、方位量子数 L で表されます。方位量子数は 0 から n-1 までの整数を取ることができます。方位量子数は軌道の形を決めるパラメーターで、0 のときは円形の軌道を与え、0 でない値のときは楕円形の軌道になります。その際、L の値が大きい程楕円形のひしゃげ方（離心率）が大きくなります。

主量子数も軌道角運動量も飛び飛びの値を取る

主量子数はスカラーと呼ばれる方向を持たないただの数値で、エネルギーの大きさを決めますが、方位量子数は核スピンと同じように方向を持つ軌道角運動量というベクトル量に関係しています。そして、このベクトルが特定の方向に対して取る傾きも飛び飛びの値しか取れませ

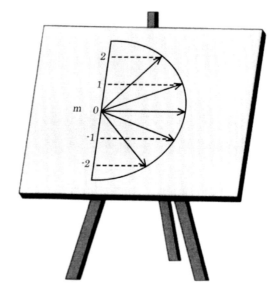

図5.2　軌道角運動量が2の場合、そのz軸への射影が
　　　2, 1, 0, −1, −2の5つの方位だけが許される

ん。これを方位も量子化されているといいます。方位の量子化は、このベクトルを特定の軸（座標軸）へ投影したときの影の長さが飛び飛びの値しか取れないという形で現れます。この量子数を磁気量子数 m といい、−L から ＋L までの 2L＋1 個の整数の値を取り、それぞれの m の値に対応して別の軌道が存在します。つまり、方位量子数 L に対して 2L＋1 個の軌道が存在することになります。この様子を図に示してあります。原子が外から磁場のような特別な力を加えられていなければ、これら 2L＋1 個の軌道のエネルギー・レベルには差がありません。そして、特定の L の値を持つ軌道はひとまとめにして特別な名前が付

けられています。L の 0, 1, 2, 3, 4... という値に対して、軌道はそれぞれ s, p, d, f, g... と表示されます。

電子の持つスピンの役割

主量子数と軌道角運動量で原子の電子配置が決まる

第 2 章でお話ししたように、半整数のスピンを持つ粒子はフェルミ—ディラック統計ないしフェルミ統計に従います。フェルミ統計に従う粒子をフェルミ粒子と呼びます。電子のスピンは 1/2 で、フェルミ粒子になります。ところで、フェルミ粒子は一つの状態には 1 個の粒子しか入れません。軌道角運動量 L に対応して 2L＋1 個の軌道があるということは、それだけの数の状態が L に対して許されるということを意味します。

さらに、電子のスピンは軌道角運動量 L に対して平行（＋1/2）かまたは反平行（－1/2）の二つの値を取ることができ、これらは別々の状態と見なされますので、一つの軌道にはスピンが逆向きの 2 個の電子が入ることができます。結局、方位量子数 L の軌道には 2（2L＋1）個の電子まで入ることが許されるのです。具体的にいうと、s 状態に 2 個、p 状態に 6 個、d 状態に 10 個、f 状態に 14 個の電子が入ります。

エネルギーの低いほうから状態（エネルギー準位）を並べると

1s $|_2$ 2s, 2p $|_{10}$ 3s, 3p $|_{18}$ 4s, 3d, 4p $|_{36}$ 5s, 4d, 5p $|_{54}$ 6s, 5d, 4f, 6p $|_{86}$ 7s, 6d, 5f, 7p, ...

のように書くことができます。各軌道を表す記号の前の数字は主量子

177

数を示します。途中に入れた縦の線はその前後でエネルギー値に大きなギャップがあることを示しています。そしてその縦線の右下に添えた数字はその位置までに入り得る電子の総数を与えます。同じ主量子数に対して、方位量子数 L が大きい程エネルギー・レベルは高くなります。L の値が小さい間はその差は僅かですが、大きい L に対しては差が非常に大きくなって、主量子数の順番まで狂わしてしまいます。

化学的性質を決める軌道電子

元素の化学的性質は最外殻軌道の電子配置で説明できる

　元素の化学的性質は軌道電子の配置で決まります。電子がエネルギー・ギャップの下まで完全に詰まっていると非常に安定で、化学的に不活性な性質を持ちます。これが、ヘリウム、ネオン、アルゴンなどの貴ガスの性質に対する説明になります。これらのギャップの上の準位に 1 個だけ電子がある状態は不安定で、この電子は容易に外に飛び出して、原子はイオンに変わってしまいます。これが化学的活性の非常に強いリチウム、ナトリウム、カリウムなどのアルカリ金属の由来です。逆に、ギャップの直下の準位に一つだけ空席があるときには、電子を 1 個受け取って安定になろうとする傾向が非常に強く出ます。この性質が、フッ素、塩素、臭素、ヨウ素などのハロゲン属に周期的に現れます。

なぜ希土類元素が周期表の
同じ位置に入るのかという謎が解けた！

　周期表の第 6 周期の III 族の位置にランタン以下の複数の元素を入れなければならない訳も長い間理解できませんでしたが、電子配置が明らかになって氷解しました。ランタンで 6s に 2 個、6p に 1 個の電子が入ったあと、次のセリウムでは内殻の 4f 軌道に電子が入った方がエネルギー的に安定になります。以下同じように、6p 軌道を差し置いて、4f 軌道が一杯になるまで電子が入り続けます。4f 軌道の定員は 14 ですから、そこに電子の入っていないランタンと合わせて 15 個の元素が、最外殻に 3 個の電子を持つグループを作ります。化学的な性質は、最外殻の電子数によって決まりますから、希土類と呼ばれる 15 個の元素が同じ場所に入れられる訳が説明されます。

　さらに、遷移金属の鉄、コバルト、ニッケル等が強磁性を呈することの説明も、d 軌道の電子配置を基に説明することができます。

5.2　シュレーディンガーの猫

神はさいころを振らない

光子の放出や放射性変換が予言できない！

　古典論と量子論をうまく使い分けたボーア理論は大成功を収めました。この方法は対応理論として 1918 年に結実し、量子力学を作り上げ

る上での指導原理となりました。ニールス・ボーアを頂点とするコペンハーゲン学派は、以後、理論物理学のメッカとして世界に君臨し続けることになります。

アインシュタインは、自ら光量子仮説を発表したにも拘わらず、生涯量子論に対して慎重な態度を貫き通しました。アインシュタインにとって量子物理学はずっと危機的な存在であり続けました。量子力学の有用性は十分に認めながらも、量子論は真の理論への予備段階に過ぎないと思えたのです[注1]。

光子の放出や放射性変換のような自発的な過程は予言することができず、統計的に扱わざるを得ないということが19世紀から20世紀への変わり目から物理学者を悩ませていました。アインシュタインの「神はサイコロを振らない」という言葉はあまりにも有名ですが、1917年に友人に宛てた手紙の中で、アインシュタインは「謎の永遠なる考案者が我々に与えた真のジョークはまだ完全には理解されていない」と書いています。古典的因果律を放棄しなければならない居心地の悪さを、彼は終生持ち続けたのでした。

注1)　アインシュタインとボーアの間で生涯にわたって繰り広げられた、物理世界の記述の完全性に関する論争は良く知られていますが、それにも関わらず、アインシュタインはボーアの功績を最大限に評価していました。「原子の性質についての我々の認識における最も重要な進歩をニールス・ボーアに結びつけねばならないであろう。（中略）彼は疑うべくもなく科学の領域における我々の時代の最も偉大な発見者の一人である。」というのが彼の賛辞でした。

波束の収縮が意味するもの

放射能を入れた箱の中の猫は
生きているのか死んでいるのか？

　アインシュタイン自身も量子力学の矛盾を指摘する思考実験を幾つも提起しましたが、ここでは有名な"シュレーディンガーの猫"のお話をしましょう。ミクロの世界では、量子力学の基本である干渉作用が起こっていますが、現実のマクロ世界では干渉作用は失われています。それではどの段階で失われるのか？　この問題を突き詰めて行った結果、フォン・ノイマンは「人間が自然を認識する最後の過程で、彼の意識の作用によって波束の収縮が起こり、測定値が1つの値に確定される」と結論しました。

　波動方程式の産みの親でありながら、アインシュタインと共に量子力学の強烈な懐疑論者であったシュレーディンガーは次のような思考実験を考えました。測定装置に生きた猫を入れ、放射性元素の崩壊が起これば猫は死に、そうでなければ生きているようにする実験を考えます。フォン・ノイマンの理論に従えば、観測者が装置の蓋を開けて中の猫を見る以前には、猫は生と死との重ね合わせのどちらとも決まっていない状態にあり、観測者が見たときに初めて生死が決まるという馬鹿げたことになります。

　1935年に初めて活字になった、このシ

図5.3　シュレーディンガーの猫

ュレーディンガーの猫は大変有名になり、その後多くの物理学者によって論じられました。結論から言えば、多くの物理学者は、この思考実験が私たちの常識から見て如何に受け入れ難い状況を突きつけるものであっても、そこに矛盾が生じるとは考えていません。観測されないものは存在しないというのが量子論の主流であるコペンハーゲン学派の基本的な立場であり、矛盾があるように思われるのは、観測するという行為の解釈如何の問題とされています。

幽霊のような遠隔作用

高速よりも早く信号は伝わり得るか？

　量子効果の解釈は、コペンハーゲン解釈以外に、半ダース以上もの別の解釈が与えられています。中には猫の生きている世界と死んでいる世界が別々に存在しており、観測の結果、そのどちらかが我々の前に出現するというSFまがいの多重宇宙論まで存在します。

　かつて量子論の正しさを検証する為に提案された様々な思考実験が、最近の技術の進歩によって次々と実際に実行され、いずれも量子論の正しさを証明する結果に終わっています。たとえば、かつてアインシュタインと共同研究者達は、量子力学によれば空間の一点で行われた測定が別の点で行われる測定結果を瞬時に決定するように見えるとし、これを"幽霊の様な遠隔作用"と呼びました。相対性理論によれば光速よりも早く信号が伝わることはあり得ないのだから、これは量子力学の不完全性を示すものだという主張でした。

ベルの不等式は破れていた！

　量子的実在性の非論理性を鮮明に示すために、アインシュタインがポドルスキー、ローゼンと共に1930年代初めに考え出したEPRパラドックスは、その後ボームの手を経て、最終的に"ベルの不等式"という思考実験によって、実験可能な形に表現されました。ベルの不等式は、相互作用をしている2つの系が遠く離れた時に示す統計的相関が、隠れた局所的な変数に支配されるのであれば満たさねばならない実験的判定条件を与えるものです。それから半世紀を経た1982年になって、アスペたちによって精密な実験が実際に行われ、ベルの不等式が実際に破れていることが証明されたのでした。量子的実在性が実証され、再び量子力学の正しさが支持されたのです。

アスペの実験と二重スリット実験

二重スリットを通り抜けた光子は
検出器の配置を前から知っていた

　アスペの実験は光の偏光という性質を利用したものでした。ここでは、判りやすいグリビンの説明を引用しておきます。彼のたとえは、「アスペの実験は、論理的には、世界中のティーンエイジャーの数が女性のティーンエイジャーの数と男性の数を足したよりも多いことを実際に発見することに等しい」というものです。これによって、非局所性の正しさが証明されたというのですが、ステンガーなどは、アス

ペの実験では光の検出効率が低く、ごく一部の光子しか測っていないので、非局所性の完全な証明と認めるには問題があるとしていることも指摘しておきましょう。

　量子効果の奇妙さを示す例として、どの教科書でも真っ先に取り上げられる実験に二重スリット実験があります。一方のスリットのすぐ後ろにある検出器がオフになっていれば、光源から出た光の粒子は両方の経路を通り干渉模様を作り出しますが、検出器がオンになっていれば、干渉模様は起こりません。さらに、検出器をオンにするかオフにするかを光子がどちらかのスリットを通過したあとに決定すれば、その光子は検出器の配置について前もって知っていたという奇妙な結果になります。

遅延波と先行波

負のエネルギーの反粒子は時間を
逆行する正のエネルギーの粒子

　ファインマンとホイーラーはマックスウェルの電磁方程式の解として、時間を順行する正常波（遅延波）のほかに、逆行する先行波なる解を導き出しました。後に、ファインマンはこのアイデアを量子論に拡張して、粒子には遅延波が付随し、反粒子には先行波が付随するとしました。ファインマンはディラック解の負のエネルギーを持つ粒子が時間に対して前向きに進むと考えるか正のエネルギーを持つ粒子が時間を逆に進むと考えるかは、基本的なレベルでは単なる約束事に過ぎ

ないとして、有名なファインマン・ダイアグラムを作りました。いずれにしろ、エネルギー保存則等の基本的な物理法則はそっくり成り立っているのです。

　先行波の存在を認めれば、粒子が測定器の配置を予め知っていたという問題は解決します。それでは、"幽霊の様な遠隔作用"につい

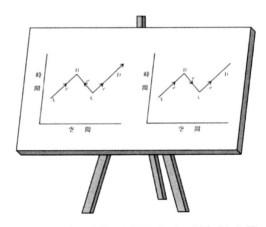

図5.4　A点を出発した電子がC点で対生成した陽電子と出会って消滅し、後に残った電子がD点に現れる現象は、ただ1個の電子がB点で真空から運動量を受け取って時間を逆行した後、C点で再び反転してD点まで時間を巡行したと見なすことができる

てはどうでしょうか。この問題は、ファインマンが言うところの時空の中のジグザグ運動によって説明できると多くの物理学者が考えているようです。

パズルとパラドックス

量子論にパラドックスは存在しない

　真空のゆらぎは絶えず粒子と反粒子の対を作り出しています。時空点Aから出発した粒子（電子）は、C点で電子と対で作られた陽電子とB点で出会って消滅し、代わりに対生成の相手である電子がD点に現

れたように見えますが、ファインマン・ダイアグラムでは、A 点から出発した電子が B 点で真空から運動量を受け取って反転し、時間を C 点まで逆行した後、再び反転して D 点に進むと考えることも出来ます。いずれにしろ、観測者には電子が B 点から D 点に突如ジャンプしたように見えることになります。この真空の揺らぎは不確定性原理で許される微視的な事象であり、したがってジャンプ出来る距離も微視的なスケールに止まります。これが巨視的なスケールでの遠隔作用に繋がるかどうかは議論の分かれるところです。結論として言えば、シュレーディンガーの猫も含めて量子論にはパラドックスは存在しないというのが大方の見解です。

量子レベルから古典レベルへの拡大は
量子力学の守備範囲外である

　これに対して、ペンローズは量子力学の抱えるミステリアスな問題を量子効果そのものに見られるパズルと、量子レベルと古典レベルの理論の関係に見られるパラドックスに分類しています。そして、前者はどんなに奇妙に見えようとも量子力学が正しく記述する真実であるのに対して、シュレーディンガーの猫に代表される後者は量子力学が不完全であることの証であると論じています。量子レベルに止まる限り、量子力学は決定論的で正確です。しかし、"測定または観測する"時に量子レベルから古典レベルへの拡大が生じて波動関数の収縮が起きるメカニズムは、量子力学の中には含まれていないのです。そのために、多様な解釈が生まれることになります。

コラム 12　ペンローズの考える新しい物理学

　量子力学は重力の物理学とは根本的に対立しているというのがペンローズの考え方です。これを解決するためには、単なる量子力学の改良では済まず、全く新しい物理が構築されるべきであるというのです。これはかつてのアインシュタインとシュレーディンガーの見解と同じ流れに沿ったものといえます。量子力学とニュートン重力の二つの物理学を適切に結合させた将来の理論は"量子状態の収縮"という現象に適合しなければならないとペンローズは主張しています。そして、この量子状態の収縮が観測の結果として起こり、観測行為は観測者の意識に直結している以上、彼の描く新しい物理学は心の働きと無関係ではあり得なくなります。ここに至って、彼の新しい物理世界は心理学や哲学の分野にも踏み込んだ壮大なスケールを帯びてくると思われます。

5.3　繋がり合う原子

ポーリングの化学結合論

化学結合の三つの理想型に分類される

　ボーアの原子模型によって、元素の化学的性質は原子の最外殻の電子の性質に他ならないことが明らかになりました。この模型を更に進めて原子が他の原子や原子団と結合して分子を作り上げる仕組みを集

大成したのが、ポーリングの「化学結合論」とクールソンの「化学結合論」でした。

　化学結合は、一般に静電結合、金属結合および共有結合の三つの理想型に分類されますが、この分類は厳密なものではなく、実際には、それらの中間の状態が連続的に存在します。

　静電結合とは2個の原子または原子団に対して、しっかりとした電子構造が与えられ、その結果として、両者の間に強い静電気的相互作用による引力が働き、化学結合が形成された場合を指します。静電結合の中で最も重要なものはイオン結合です。金属元素の原子は最外殻の電子を容易に失い、一方、非金属元素の原子は過剰の電子を受容する傾向があり、その結果として、陽イオンと陰イオンとの間にイオン結合が成立します。その代表的な例はナトリウムイオンと塩素イオンから成る食塩です。

　金属結合は金属塊中の原子を繋ぎ留めている結合です。その最も著しい特徴は結合に与っている電子が移動しやすいことであり、金属の電気伝導度や熱伝導度が非常に高いのはこのためです。

共有結合の強さは二つの軌道の重なりの大きさによる

　水素分子やメタン分子などで見られる普通の原子価結合は互いに結合した2個の原子が一対の電子を共有しているもので、共有結合と呼ばれます。それぞれの原子は電子を共有することで希ガス型の飽和電子構造となって安定化します。共有結合のエネルギーは、大部分二つの電子が二原子間に共鳴することによって生じます。共鳴エネルギーは二つの原子軌道の重なりの大きさと共に増加します。図5.5に示し

たように、方向性を持つp軌
道の方がs軌道よりも結合が
強くなります。そして、p軌
道は互いに直角な方向を取
ろうとします。ところが、例
えば水分子の二つのO-H結合
のなす角度は 90 度でなく
104.45 度と広がっているの
は、O-H 結合にいくらかのイ
オン性があるために水素原
子の正電荷同士の反発が原
因になって広くなるのです。

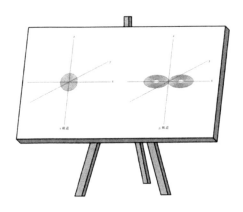

図5.5　s軌道とp軌道。p軌道にはx軸方向のp_x軌道の他にy軸、z軸方向の軌道p_y、p_zがある

混成軌道

多様な結合様式は s, p, d 三種の軌道の混成で作られる

　s 軌道と p 軌道、さらに d 軌道のエネルギーが近い場合には d 軌道をも巻き込んで軌道同士が混じり合い、いろいろと特徴的な結合様式を取ります。これを混成軌道と呼びます。炭素原子の正四面体構造は、一つの s 軌道と三つの p 軌道が混じり合って四つの等価な軌道を作る結果生じたもので、sp^3 混成軌道と表します。結合間の角度は109.28 度となり、この角度から外れると安定度が下がることになります。

　アンモニア NH_3 の窒素原子には結合に関与しない不共有電子対が存

在しますが、この電子対は sp^3 混成軌道の作る配位多面体の一隅を占めて、結合に関与する共有対と置き換わっているように見えます。三つの結合は四面体の三隅に向かい、第四の隅には不共有電子対が居座るのです。

二重結合には二通りの表し方がある

エチレンなどに見られる二重結合には二通りの表し方が考えられます。その一つは、四面体構造の一つの稜を隣り合う原子が共有する形で、言い換えれば、2本の折れ曲がった一重結合から成り立っているとする見方です。もう一つは、シグマ（σ）結合とパイ（π）結合から構成されているとする見方で

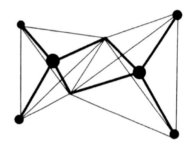

図5.6　エチレンの二重結合。正四面体構造の1つの稜を隣り合う原子が共有する形で、2本の折れ曲がった一重結合から成り立つと見なせる

す。ここでシグマ結合は普通の一重結合、パイ結合はシグマ結合の上下に電子が分布している状態です。sp 混成軌道としての分子軌道法では、両者は全く同じになります。ただし、一般の多重結合を考察する際には、前者の方が良い近似になると思われますし、結合距離の説明も前者の方が優れています。

黒鉛の平面構造は sp^2 混成軌道と
ファンデルワース結合で作られる

　炭素元素の同素体である黒鉛は、六角形の巨大な網面をなす層が弱いファンデルワールス結合によってずれた形に積み重なっている構造を取るために、著しい異方性を示します。面内の結合は s 軌道をできるだけ完全に使った方が安定度が増すので、一つの s 軌道と二つの p 軌道からなる sp^2 混成軌道を作り、結合間角度は 120 度となります。炭素原子は最外殻に 4 個の電子を持っています。sp^2 混成軌道を作ることによって、そのうちの 3 個の電子を使いますので、1 個の電子が結合に使われずに残ります。ところが、この不共有電子は対を形成した方がエネルギー的に安定になりますので、隣の炭素原子から不共有電子を受け取って自分の 2p 軌道に入れます。そのため、一つ置きに構造的に同等でない 2 種類の原子が存在することになります。このため、2 種類の元素からなる BN のような化合物にもこの構造が出現し得ることになります。

　塩化第二水銀 $HgCl_2$ などでは、二つの結合軌道の間で s 軌道を完全に使い果たすため、互いに反発し合って直線構造の sp 混成軌道を作ります。同じことは金や銀の錯塩でもみられます。

錯イオン形成

遷移族元素は s, p, d 軌道を使って錯イオンを形成する

鉄に代表される遷移族元素では、一つ内側の d 軌道が原子価殻の s 軌道、p 軌道と同程度のエネルギーを持ちます。3 価のコバルトイオンは 6 個のアミノ基と結合して錯イオンを形成します。このとき原子番号 27 のコバルトイオンは窒素原子と共有対を作る 6 個の電子対の他に、24 個の不共有電子をもっていますが、そのうち 18 個の電子は内側のアルゴン殻におさまり、残る 6 個の電子は 3 個の 3d 軌道に入ります。こうして残った 2 個の 3d 軌道、1 個の 4s 軌道、3 個の 4p 軌道で d^2sp^3 混成軌道を作り、正八面体構造を取ります。第五周期のパラジウム族、第六周期の白金族にも同様の考察が適用されます。

　五塩化燐 PCl_5 は 1 個の 3d 軌道、1 個の 4s 軌道、3 個の 4p 軌道から 5 個の dsp^3 混成軌道を作り、P を中心にした三方両錘型構造を取ります。ところが、量子力学的計算の結果では、いずれも d 軌道を使わない結合様式とこの混成軌道との共鳴状態にあると結論されています。

　2 価のニッケルイオンが 4 個のシアンイオン CN^- と結合したシアン化ニッケルイオンでは、ニッケルイオンの持つ 26 個の不共有電子は 4 個の 3d 軌道までで収まり、残った 1 個の 3d 軌道が 1 個の 4s 軌道と 2 個の 4p 軌道と共に dsp^2 混成軌道を作ります。その結果、この錯イオンは正方形型構造を取ります。そしてこれらの結合の強さは sp^3 四面体軌道の値より遥かに大きくなります。この混成軌道では、軌道面に垂直な p 軌道は使われておらず、したがって、垂直な方向へのいくらか弱いもう一つの結合があり得ると期待され、実際そのような構造を持つ化合物が見いだされています。

バックミンスターフラーレン

サッカーボールの形をした第三の炭素同位体発見

　1970 年、大澤映二はダイヤモンド、黒鉛に次ぐ第三の炭素同素体として、C_{60} の構造を予言しました。その後、1985 年にスマーレー、クロトらにより、黒鉛のレーザー照射の実験でこれらの同素体の存在が確認されました。その代表的なものは C_{60} で、その他に C_{70}, C_{76} 等様々な球状クラスターが知られています。C_{60} は 20 個の六員環と 12 個の五員環の各頂点に炭素原子を配置した球状構造を持ち、まさにサッカーボールの形をしています。これらのクラスターは、モントリオール万博の球状ドームの設計者であるバックミンスター・フラーの名前からバックミンスターフラーレンまたはフラーレンと総称されますが、その形状からサッカーボーレンないしフットボーレンなどとも呼ばれています。星間物質としての存在が考えられるため、宇宙科学的興味が持たれるだけでなく、アルカリ金属のドーピングで超電導性が出現するなど、多様な可能性に着目した広範な研究が行われています。

　最近、京都大学のグループが C_{60} に化学反応で 13 角形のあなを開けて作った篭の中に水素分子を入れることに成功したと報じられました。常温常圧では水素は抜けなくなり、加熱すると放出されることが見いだされ、レーザーを当てると再び穴は塞がりました。今後さまざまな応用が期待されます。

フロンティア電子理論

化学反応の主要な過程を決める
双方の分子の軌道の相互作用に着目

　最近の大型計算機の登場は、複雑な化合物や化学反応の理論計算を可能にしました。分子軌道法や分子動力学を駆使する計算化学が発達し、もはや軽い元素のみからなる有機物の性質や反応についてはすべて計算で明らかにできるとさえ言われています。なかでも、福井謙一らのフロンティア電子理論は、有機化学反応を理解する上で極めて有効であることが示されました。この理論によれば、化学反応の主要な過程は、反応に与る一方の分子の最もエネルギーの高い電子が占める分子軌道と、もう一方の分子内の最もエネルギーの低い空の分子軌道の間の相互作用によって決まるというものです。そしてこの二つの分子軌道を合わせてフロンティア軌道と名付けました。彼等はこの業績によって、1981年度のノーベル化学賞を受賞しました。

5.4　右手と左手

構造異性体と立体異性体

有機化合物には異なる性質を示す様々な異性体が存在する

　分子を構成する原子の数が多くなると、全く同じ原子たちの組み合

わせでも幾通りもの結合の仕方が可能になります。このように、同じ分子式で異なる性質を示す物質同士を異性体と呼びます。異性体は錯塩などの無機化合物にも現れますが、4本の結合手を持つ炭素が骨格となる有機化合物に圧倒的に多数の異性体が見られます。異性体のうち、原子配列が異なるものを構造異性体、原子や置換基の空間配列が異なるものを立体異性体といいます。

　構造異性体にも様々なものがありますが、立体異性体は幾何異性体、立体配座異性体、鏡像異性体の三つに細分されます。まず、幾何異性体は二重結合をもつ分子に見られるもので、二重結合の両端の炭素原子同士が互いに回転で

D(ℓ)- 乳酸 　　　 L(d)- 乳酸

図5.7　乳酸の立体構造。中心のCとCH₃、COOHの2つの基から構成される平面に対して、くさび形の結合は平面の上面に、点線の結合は平面の下面に位置する

きないため、残る4本の結合手につながる水素原子の一つが他の原子や置換基で置き換わっていると、表と裏の関係になる二通りの平面配置として現れます。次に、立体配座異性体は、一重結合で結ばれた二つの炭素原子に残された6本の結合手のそれぞれに大きな置換基が付いていると、立体障害によって自由な回転が妨げられるために現れるもので、最初に発見された当座は回転異性体と呼ばれていました。

鏡像異性体

左手と右手のように重ね合わせられない
分子を鏡像異性体と呼ぶ

　最後の鏡像異性体は、中心になる炭素原子に四つの異なる原子または原子団が結合している場合に現れる異性体で、互いに左手と右手のように重ね合わすことのできない鏡像関係にあります。このときの中央の炭素原子は不斉原子と呼ばれます。鏡像異性体は偏光した光に対して異なる性質を示すので、光学異性体とも呼ばれます。

　最も簡単な鏡像異性体は乳酸で、中心の炭素原子に水素原子（-H）、メチル基（-CH3）、水酸基（-OH）、カルボキシル基（-COOH）と四つの異なる基を持っています。このような鏡像対称性を持つ分子をキラルな分子と呼び、どちらか一方の分子の溶液に平面偏光した光を通すと偏光面の回転の方向がそれぞれの分子で逆になります。そして、測定者が光源方向を見たとき、光を左に回転させるものを左旋性、右に回転させるものを右旋性と呼んで、左旋性の物質の名前の頭に l-、右旋性の物質名の頭に d- を付けて表します。

キラルな分子を区別する様々な命名法がある

　乳酸分子の持つカルボキシル基をアルデヒド基（-CHO）に、メチル基の 1 個の水素を水酸基に置き換えたグリセルアルデヒドも光学活性です。グリセルアルデヒドを出発物質として、様々な化学物質が合成

できます。そこで、d-グリセルアルデヒドから作られる物質をD型、l-グリセルアルデヒドを親とする物質をL型と呼ぶことに定めています。そこでl-乳酸はD-乳酸ということになります。

キラルな分子を区別する方法にRS法があります。まず、不斉原子に結合している最も原子番号の小さい原子（団）を自分から一番遠い位置に置きます。そして、自分の方を向いている3個の原子（団）について不斉原子に直接結び付いている原子の原子番号を比較します。それらを原子番号の小さい順に並べたときに、それが右回りならR、左回りならSとするのです。この方法の長所は、グリセルアルデヒドの誘導体でないものも表示が可能になる点です。

自然界のキラルな物質

自然界にはキラルな物質はどちらか一方しか存在しない

自然界にはキラルな物質はR、Sのどちらかしか存在しません。たとえば、ミカンの香りの元であるリモネンはS体だけが存在しており、R-リモネンはミカンの香りとは似ても似つかない悪臭を放ちます。また、化学調味料として有名なL（S）-グルタミン酸には旨味がありますが、D（R）型には味がありません。

当然のことながら、私達の身体もどちらか一方だけの物質から出来上がっています。たとえば、身体の中のアミノ酸はすべてL型、エネルギー源の糖はすべてD型です。ところが、普通の条件で人工的に化学合成すると、生成物はD型とL型が等分に混じったラセミ体になっ

ています。その代表的な例が医薬品で、私達は薬効のない対掌体を一緒に飲まされている訳です。単に無駄な物を飲んでいるだけならまだしも、場合によってはとんでもない薬害を引き起こすことも考えておかねばなりません。1960年前後に鎮静催眠剤として世界中で大量に投与されたサリドマイドが西独を中心に胎児に奇形をもたらす大薬禍事件を起こしましたが、その後の研究によって、催奇性を持つのはS型のみであることが判明しています。

天然アミノ酸がL型のみなわけ

　何故天然のアミノ酸がL型だけなのかという疑問に対する答えはまだ見つかっていません。多分、最初に作られたアミノ酸の出発物質がL型だったのであろうということで片づけられています。実験室でどちらか一方だけの鏡像異性体を作るのは、なかなか困難な仕事で、一つ一つの分子に対して合成法を工夫しなければなりませんでした。それに対して、野依良治が異性体の一方だけを選択的に合成する触媒を開発し、2001年度のノーベル化学賞を受賞したことは記憶に新しいところです。この分野の発展によって、私たちは将来より良い人生を享受できることでしょう。

第6章　新しい錬金術

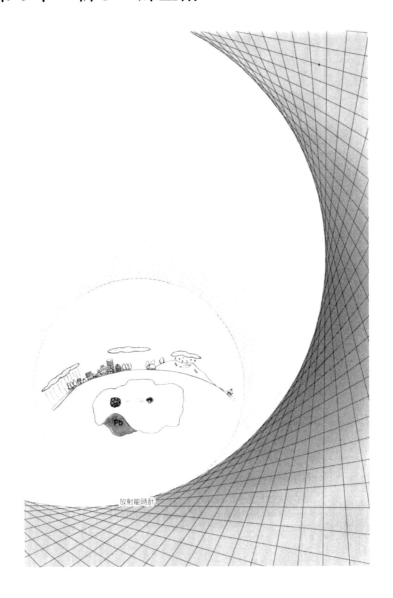

放射能時計

6.1 マジック・ナンバー

飛び飛びの原子核エネルギー

核子の占める準位も閉じた軌道を描く

　ボーア理論の大成功に触発されて、物理学者たちは、原子核にも同じような手法を導入することを試みるようになりました。放射性壊変の際、または核反応で励起された原子核が放出する放射線は、ベータ線を除くと飛び飛びのエネルギー値の線スペクトルになります。このことから、原子核のエネルギー状態も量子化されていることが判ります。原子核が励起されるということは、構成要素である核子の運動状態が励起されていることを意味します。核子の占める状態（準位）が量子化されるためには、電子の場合から類推して、準位が閉じた軌道を描かねばなりません。

　軌道電子の場合、閉じた軌道は距離の二乗に反比例する静電引力によるものでした。電子は静電引力によって正に帯電した原子核に繋がれており、静電引力に逆らって電子を解き放つには、エネルギー（電離エネルギー）を電子に与える必要があります。このエネルギーをポテンシャルと呼び、距離に反比例する形に表すことができます。これを図示すれば、ポテンシャルと呼ばれる井戸の中に電子が落ち込んだ状態にあり、その深さが電離エネルギーを与えることになります。

原子核を繋ぎ止める力

質量分析器によって同位体の質量を測ることができる

　原子核を繋ぎ止めている力については、実は良く判っていません。ベータ壊変のような現象は、前にお話した弱い力が支配していますが、核子同士の間に働く力は核力と呼ばれる強い力です。核力の正体は、湯川秀樹の中間子理論によって、核子同士が中間子をやりとりすることによる交換力であるとされ、これは後にパウェルのパイ中間子の発見で証明されました。しかし、核力の実態については、実験によって明らかにする他はありませんでした。

　前に安定同位体のところでお話した質量分析器を使うと、同位体の質量を測ることができます。質量分析器の原理は、電荷を持った粒子を電場と磁場の中を走らせると質量、電荷、速度に応じて決められた曲がり方をするというものです。したがって、既知の同位体の電子をはぎ取った上で、加速して電場と磁場の中を通してそれぞれの曲がり方を測定すれば、質量を求めることができます。

結合エネルギー

核力の到達距離は短い

　こうやって測定した安定同位体の質量は、原子核を構成している陽子と中性子の全質量よりも必ず小さくなります。このことは、ばらば

らの陽子と中性子として存在しているよりも、原子核としてまとまっている方が安定であることを示しています。そして、この原子核をばらばらに壊すには、両者の質量差に相当するエネルギーを原子核に与えねばなりません。このエネルギーを全結合エネルギーと言います。

全結合エネルギーを同位体の質量数で割ったものが、核子当たりの結合エネルギーで、これは極く軽い同位体を除けば大体一定の値になります。この観測結果を全結合エネルギーに戻せば、全結合エネルギーは質量数に比例するという結論になります。結合エネルギーは核子と核子の間に働く核力に由来しますから、その強さは核子同士の組み合わせの数に比例する筈です。全結合エネルギーが質量数すなわち核子の数に比例するということは、一つの核子が結合しうる相手が近くの核子だけに限られる、言い換えれば、核力の到達距離は短いことを意味します。もし核力の到達距離が十分長くて、核内の全ての核子と相互作用するならば、核子—核子の組み合わせの数は質量数ではなくその二乗に比例することになるからです。

井戸型ポテンシャル

核子の運動を壁に固定されたバネの振動に置き換える

かくして、原子核の内部では核力の強さはほぼ一定と考えられます。この考え方は、金の原子核による電子線の散乱実験からも裏付けられています[注1]。一つの核子に着目すると、残り全ての核子がつくり出す底が平らな核力の場の中をその核子が運動するという描像を描くこと

ができます。これをエネルギーの場として表すと原子核全体を井戸型ポテンシャルで置き換えることになります。最も簡単なポテンシャルは垂直な壁を持つ井戸ですが、原子核の状態をより良く再現するためには縁がなだらかにな

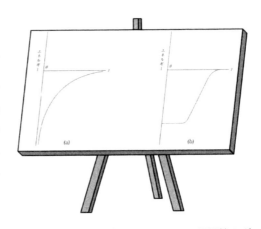

図6.1　(a)原子のポテンシャル　(b)原子核のポテンシャル

った壁のポテンシャルを使う必要があることが判ってきました。ただし、どんな形のポテンシャルが最も相応しいのかを決めることはできず、対象となる実験データに応じて色々なポテンシャルが導入されています。この事実もまた、核力の正体が良く判っていないことを表しています。

　原子核という井戸の中に束縛された核子を考えるのに、一方の端を壁に固定されたバネのもう一方の端に繋がれた球に置き換えます。この球を引っ張ると、球にはバネが伸びた長さに比例する引力が働きます。ここで手を話せば、球は振動を始めます。この運動を調和振動と呼び、振動する球は調和振動子と呼ばれます。このバネの力が作り出すポテンシャルは放物線状になります。つまり、井戸型ポテンシャルを放物線状のポテンシャルに置き換えて計算することになります。

注1)　レプトンである電子は核力にほとんど影響されず、核の電荷に

203

鋭敏に反応します。そのため、原子核内の電荷分布すなわち陽子の密度分布の測定に適しています。その結果によれば、核内の陽子密度分布は表面近くを除いて一様であり、表面ではなだらかに減少していることが分かりました。

シュレーディンガー方程式と原子核の構造

振動子の占める準位は等間隔に並ぶ

　半古典的なボーア理論は、シュレーディンガーの波動方程式で置き換えられます。シュレーディンガー方程式は、振動子である質点の運動エネルギーとポテンシャル・エネルギーの和が一定であるというエネルギー保存則を表す形に書かれます。そして、球対称の振動子ポテンシャルに対する解は三角関数になり、振動子の占める準位は等間隔に並びます。準位は下から $2(n-1)+L$ で計算される順に並びます。ここで、n は動径量子数と呼ばれる量子数で、1 から始まる整数、また L は方位量子数で、0 から始まる整数です。電子の場合と違って、方位量子数には上限がありません。

　各準位の定員は電子の場合と同じように計算されますので、核子の準位への詰まり方を記すと

$$1s^2 \mid_2 1p^6 \mid_8 2s^2 1d^{10} \mid_{20} 2p^6 1f^{14} \mid_{40} 3s^2 2d^{10} 1g^{18} \mid_{70} \cdots\cdots$$

となります。ここで、各準位の右肩の数字は準位の定員、縦線は同じエネルギーを持つ準位同士を束ねる区切りで、右下の数字は下から詰めた核子の数を与えます。電子の場合と同じように、この縦棒の位置

でエネルギー・ギャップが生じ、核子は閉殻構造を取ります。原子核には陽子と中性子の二種類の核子がありますから、それぞれに対して独立に殻構造が存在します。

結合エネルギーの大きい核種が周期的に現れる

原子核の結合エネルギーをよく調べますと、特に大きな結合エネルギーを持つ核種が、原子の場合と同じように、周期的に現れることが判ります。一見すると、この調和振動子モデルは核構造を上手く説明するように思われましたが、合っているのは 20 番のカルシウムまでで、次の 40 番元素では違ってしまいます。色々な実験データから経験的に得られた閉殻構造は 2, 8, 20, 28, 50, 82, 126, 184 でなければなりません。この閉殻を説明できなかったために、この数値はマジック・ナンバー（魔法数）と呼ばれ、原子核の特別な安定性を示すものとして重要視されました。

j−j カップリング

軌道角運動量と核子のスピンの相互作用を考える

この謎はメイヤーとイエンゼンの j−j カップリング・モデルで解決されました。これは、従来別々に取り扱っていた、軌道角運動量とスピンの間の相互作用を考慮に入れるというものです。核子のスピン s は軌道角運動量 L に対して平行か反平行の配列を取りますから、両者

を合わせた全角運動量 j は L+1/2 か L−1/2 のどちらかになり、j の値によって相互作用エネルギーに差が現れます。そのために、今までは同じエネルギー・レベルであったものが二つに分離することになります。経験によって、反平行の配列より平行の方が安定になることが結論されています。この結果を纏めると、次のようになります。

$$(1s_{1/2})^2 \mid_2 (1p_{3/2})^4 (1p_{1/2})^2 \mid_8 (1d_{5/2})^6 (2s_{1/2})^2 (1d_{3/2})^4 \mid_{20} (1f_{7/2})^8 \mid_{28}$$

$$(2p_{3/2})^4 (1f_{5/2})^6 (2p_{1/2})^2 (1g_{9/2})^{10} \mid_{50} (1g_{7/2})^8 (2d_{5/2})^6 (2d_{3/2})^4$$

$$(3s_{1/2})^2 (1h_{11/2})^{12} \mid_{82}$$

$$(1h_{9/2})^{10} (2f_{7/2})^8 (2f_{5/2})^6 (3p_{3/2})^4 (3p_{1/2})^2 (1i_{13/2})^{14} \mid_{126} (2g_{9/2})^{10} (3d_{5/2})^6$$

$$(1i_{11/2})^{12} (2g_{7/2})^8 (4s_{1/2})^2 (3d_{3/2})^4 (1j_{15/2})^{16} \mid_{184}$$

各軌道を表す記号の右下に全各運動量 j の値を付けて区別します。軌道の定員（多重度）は 2j+1 となります。これで経験的に見出されたマジック・ナンバーは完全に再現されました。メイヤーとイエンゼンは、この功績によって、ウイグナーと同時に 1963 年度のノーベル物理学賞を授与されました。

6.2 天然放射能と人工放射能

三つの壊変系列

ウランやトリウムは三つの放射壊変系列を持つ

ソデイの放射壊変則は、親核種がアルファ壊変を起こすと原子番号が 2、質量数が 4 だけ少ない娘核種が生じ、ベータ壊変では生じる娘

核種の質量数は変わらず原子番号が 1 だけ増える事になります。したがって、最初の頃に見つかったウランやトリウムを親とする一群の放射性核種は互いに質量数が 4 の倍数ずつ異なる関係にあります。^{238}U を親とするウラン系列はメンバーがいずれも 4n＋2 で表される質量を持っていますので、4n＋2 シリーズとも呼ばれます。同様に、^{232}Th を親に持つトリウム系列のメンバーの質量は 4n という値を持ち、4n シリーズと呼ばれます。天然にはもう一つ壊変系列があって、それはウランの同位体である ^{235}U を親とするアクチニウム系列で、これは 4n＋3 シリーズということになります。ちなみに核種と同位体ないし同位元素は同じような意味で使われますが、どちらかと言えば、物理的な意味あいが強い場合には核種を、化学的意味あいの濃い使い方をするときには同位体または同位元素という用語を用います。

三つの壊変系列には共通点がある

これら三つの壊変系列には共通点があって、その一つはいずれも壊変鎖の途中にラドン、トロン、アクチノンと呼ばれるエマネーションガスを放出することで、これらは 86 番元素のラドンの同位体です。もう一つの共通点は、壊変鎖の最終生成物がいずれも 82 番元素の鉛の同位体、^{206}Pb、^{208}Pb および ^{207}Pb であることです。鉛にはもう一つ安定同位体 ^{204}Pb があり、この同位体は他の三つの同位体と異なり増減がありません。前者を放射性起源の核種と呼ぶのに対して、後者を非放射性起源の核種と呼びます。

天然に存在しない 4n＋1 シリーズは
系列のメンバー全員が消滅した

　天然には存在しない 4n＋1 シリーズは、始めミッシング・シリーズ
と呼ばれていましたが、これはこのシリーズの構成メンバーの中に地
球の年齢に匹敵する程長い寿命を持った核種が無かったために、系列
全体が消滅してしまったせいでした。しかし、原子力を人類が手にし
た結果、半減期 200 万年の ^{237}Np が環境中に溜まってきて、この 4n＋1
シリーズが姿を見せるようになりました。このネプツニウム系列は、
天然の系列と異なり、エマネーションを発生せず、最終生成物は鉛の
同位体でなく、ビスマスの唯一の安定同位体、^{209}Bi です。

残存放射能と消滅元素

壊変系列に属さない放射能は
宇宙で作られた放射性核種の生き残り

　始めのうち、天然の放射能はすべてこれら三つの壊変系列のどれか
に属しているものと思われていました。1906 年に、^{40}K と ^{87}Rb という二
つの放射能が発見されてからも、これは例外的な存在に過ぎないと見
なされました。この考えが誤りであると認識されるようになったのは、
1932 年以降、次々と壊変系列を構成しない放射能が見つかったためで
した。その後、元素が宇宙空間や星の中で作られたことが明らかにな
ったことから、放射性元素が特別な存在ではなく、宇宙でまんべんな

く作られたけれども、46億年という長い年月の間に寿命の短い核種は消滅してしまったことが判ってきました。黒田和夫は、今は消滅してしまった半減期8千万年の^{244}Puが、かつて地球上に存在していたことを、^{244}Puの核分裂生成物を検出する事で証明しました。彼の推計によれば、現在地球上に残っている^{244}Puは7グラムということです。

同位体が放射性であるかどうかは、放射能が検出されるかどうかにかかっており、測定技術が進歩すると共に、今まで安定と思われていた同位体が放射性同位体に変わります。現在知られている最も寿命の長い放射性同位体は、半減期7千兆年の^{148}Smですが、逆に、かつては放射性であると思われていて、その後安定元素に戻された^{209}Biのような例もあります。一方、寿命が短かすぎるものは核種として存在したとは認められません。一応独立した核種として認められる目安は、1万分の1秒以上の寿命がある場合となっています。

人工放射能を作る

元素の人工変換の方法が見つかった！

1932年にアンダーソンが宇宙線の中に陽電子を発見した後、多くの実験室で軽い元素にアルファ線を当てると陽電子が得られることが見いだされました。キュリー夫人の娘イレーヌと彼女の夫のフレデリック・ジョリオ＝キュリーは、陽電子を作る目的で硼素とアルミニウムをポロニウムのアルファ線で照射したところ、それぞれ放射性の^{13}Nと^{30}Pが生成するという予期せぬ結果を得ました。ここに初めて元素の人

工変換の方法が見いだされたのでした。新しい錬金術の幕明けでした。

中世の錬金術が失敗に終わったのは元素に与えるエネルギーが小さ過ぎたためでした。化学結合の強さはおおよそ 1 電子ボルト（eV）のオーダーです。それに対して、核子の結合エネルギーはその一千万倍にもなります。化学反応を起こさせるのに結合エネルギーの百倍程度が必要だったとしても、まだ核反応に必要なエネルギーの十万分の一にしかなりません。なお、1eV というのは、1 センチメートル離れた電極板に 1 ボルトの電圧をかけたときに、電子が獲得するエネルギーに当たります。

現代の錬金術士は黄金には目もくれない

一旦、こうして人工放射能を作る方法が見いだされてからは、得られる人工放射能の数は急速に増加しました。3 年後には、人工放射性核種の数は 200 に達し、20 年で約 1000 となりました。1978 年までに 2500 以上の放射性核種が知られるようになり、その後もさらに増え続けています。

中世の錬金術者の夢は卑金属を金に変えることでしたが、現代の錬金術者は黄金には目もくれません。私たちが求めるものは、黄金より遥かに価値の高い物か、あるいは何物にも代え難い性質を持つ物です。たとえば、1 個のリチウム原子に陽子をぶつけて壊すと、2.8×10^{-5} エルグのエネルギーが生じます。したがって、この方法で 1 グラムのリチウムを全部ヘリウムに変えたときに得られるエネルギーは、2.5×10^{18} エルグとなります。そのうちの 10%が電力として利用できるとすると、その値段は 1 グラムの金の優に百倍以上になります。

役に立つ放射能

人工放射能は多方面で応用されている

　放射性核種は、放射能を持つが故に大変有用である例が幾つも知られ、実用に供されています。たとえば ^{99m}Tc [注2] の化合物は脳や各種臓器の腫瘍診断用医薬に、また ^{131}I は甲状腺がんの診断用として広く用いられています。一方、^{60}Co や ^{192}Ir はがん治療用放射線源として使われています。工業的にも、^{192}Ir、^{170}Tm などが、厚み計やレベル計、金属の鋳造の際のスの有無や溶接部の検査などに用いられています。また、煙探知機には ^{241}Am が、夜光塗料には ^{147}Pm やトリチウムが使われます。人工衛星や宇宙探査機に搭載される計器類の電源には ^{238}Pu や ^{90}Sr を用いるアイソトープ電池が活躍しています。

注 2)　　左肩の質量数を表す数字の後の m という記号はこの同位体が励起状態にあることを示しています。大体 1 万分の 1 秒以上の半減期を持った励起状態は基底状態とは別の核種として区別されますが、特殊な場合には 1 億分の 1 秒程度の半減期の励起状態を別核種と認めている例もあります。励起状態の核種と区別する必要がある時の基底状態の核種には質量数の後に g という記号を付けます。また、このような準安定状態が複数個存在する場合はエネルギーの低い方から m_1, m_2... という風に表します。

非破壊検査法

　特殊な用法の例として、^{192}Ir のガンマ線の透過写真撮影による航空機エンジンの損傷度の非破壊検査法があります。この方法が開発される迄は、定期的にエンジンの分解点検を行い、破損部品を交換して運航の安全を保っていました。しかし、これでは多大の労力と経費がかかり、安全の確保と経済性の両立に問題がありました。この非破壊検査法が開発されたことにより、エンジンを解体することなく短期間に検査が可能になった利点は非常に大きいと言えます。

　その他にも、CT スキャンを始めとする放射能を利用する種々の治療や診断、ガンマ線照射による品種改良や食品の滅菌など、放射能の利用は私たちの生活の広い範囲に及んでいます。ただ、放射能は両刃の剣であり、利用面にのみ目を奪われてその使い方を誤れば、大きな災害を私たちに与えることを十分にわきまえておかねばなりません。

6.3　地球の年齢を測る

時計になった放射能

放射性元素は絶えず地球を温め続けている

　19 世紀の地球化学者は、地質年代的な出来事を集大成して相対的な順序を作り上げていましたが、絶対的な時間の物差しを持っていませんでした。そのため、たとえば沈積物の積み上がる速さと、それから

作られた水成岩の厚さから、水成岩が形成されるまでの時間を推定することを試みました。しかしながら、このようにして得られた結果はまちまちな値となり、所期の目的は達成されませんでした。

　一方、ケルビン卿を始めとする物理学者たちは、地球が冷えていく速さから、地球が現在の温度に冷えるまでの時間を算定しました。その結果、ケルビン卿の到達した結論は、地球の年齢が 2 千万ないし 2 億年であるということでした。

　たまたまこの時期に起こった放射能の発見は、二重の意味で年代決定という問題に変革をもたらすことになりました。その一は、岩石中の放射性物質は絶えざる熱源となって地球を内部から暖めていることです。このことは、冷却速度に基礎を置く議論に決定的な影響を及ぼします。そ

図6.2　放射能時計

の二は、放射壊変そのものが天然の時計になるということでした。それと共に地球の歴史についての私たちの理解を飛躍的に増大させるという効果も与えました。

試料中の親元素と生成元素の量を測れば年代が求められる

　放射性元素が天然の時計になりうる理屈は、次のようなものです。前にも説明しましたように、地球を構成している元素はすべて地球が形成される以前に他の星や宇宙空間で作られて以来、二度と合成されることはありませんでした。ただし数少ない例外は、放射性元素が壊

れてできる子供や孫の元素たちで、たとえばウランやトリウムからの壊変の最終生成物である鉛の同位体たちは、現在もなお増え続けているのです。

　地球が冷却するにつれて、それまでの溶けたマグマの状態から岩石が固まり始めると、放射壊変によってできた鉛元素は、それまでのように周囲の物質の中に一様にかき混ぜられることがなくなり、岩石の中に閉じ込められるようになります。したがって、岩石試料中に現在残っている親元素と生成した元素の量を測れば、その岩石ができてからの時間が求められる訳です。

アイソクロン

同時に生成した一連の岩石試料は
子供の初期量と経過時間を与える

　実際には、子供の安定元素の量については、マグマの状態ですでに存在していた分（初期量）を差し引かねばなりません。もちろんこの初期量は知られていませんが、もし同じマグマから同時に生成した一連の岩石試料が手に入れば、それが可能になります。それらの試料中の放射性元素の量はまちまちですが、壊変生成物の初期量は全部の試料で同じ比率になっている筈です。その上、岩石になって蓄積された最終生成物の量は、始めに存在した親元素の量に比例するので、親元素の相対存在量に対して子供の生成量の被放射性起源の同位体の量に対する比をグラフにプロットすると、1 本の直線上に並ぶことになり

ます。この直線はアイソクロンと呼ばれます。この時、この直線がグラフの縦軸をよぎる点が子供の初期量を与え、直線の傾きからこれまで経過した時間が得られます。

測定可能年代は用いる放射性同位体の寿命による

　この方法で測定し易い時間の長さは、時計に使う放射性同位体の寿命によって決まります。時計の寿命に比べて時間が短かすぎると、その間に蓄積される生成物の量が少なすぎて誤差が大きくなり、不正確な結果しか得られなくな

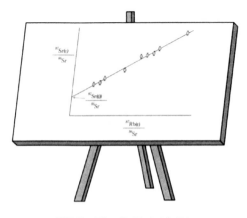

図6.3　Rb−Srアイソクロン

ります。逆に測ろうとする時間が長すぎると、親元素が見つからなくなってしまいます。^{238}U（半減期45億年）、^{232}Th（半減期140億年）、^{40}K（半減期13億年）、^{87}Rb（半減期480億年）などが数億年から数十億年の年代を決定するのに用いられます。地球上の岩石で、これまでで最も古い年代物は37億年、宇宙物質である隕石の年齢は46億年とされています。また、地球上で発見された最も古い化石の年代は35億年でした。これらのデータから太陽の年齢は46億年、地球の年齢も太陽とほとんど同じ46億年で、37億年前辺りにマグマが固まり、それから2億年後に生命が誕生したと想像されます。

考古学・人類学で活躍する ^{14}C 時計

^{14}C の寿命は人類の文明の歴史年代の測定に最適

　炭素の放射性同位体 ^{14}C の半減期は 5700 年ですから、もちろん地球誕生時に存在した ^{14}C は残っていません。しかし、^{14}C は宇宙線によって空気中の窒素原子から絶えず作り出されています。生成した ^{14}C は、炭酸ガス分子となって植物に取り込まれたり、海水中に溶け込んだりして、瞬く間に地球上に一様に分散してしまいます。そのために、生きている植物中の ^{14}C と普通の炭素原子である ^{12}C との存在比は、周囲のそれと同じ値を保っています。

　しかし、植物が死ぬと、炭素同化作用による ^{14}C の取り込みが途絶えますので、^{14}C は減少を始めます。^{14}C の半減期は人類の文明の歴史年代を測定するのにちょうど都合の良い長さですから、この方法は考古学や人類学などの分野で有力な研究手段となると期待されます。つい近頃も、国立歴史民俗博物館の研究によって、我が国に水田稲作の技術が伝えられたのは従来の定説より 500 年古い紀元前 1000 年であるという結果が得られたと報じられました。このことは同時に、弥生時代の幕開けが、これまでの紀元前 500 年から 1000 年に遡ることを意味します。しかし、考古学者には考古学者の立場があって、この結果がすんなり受け入れられるかどうかは流動的です。年代決定法が考古学の分野で完全な市民権を得るにはまだ時間がかかりそうです。

加速器質量分析器を用いた
地球科学的年代測定法が開発された

　数十万年から数千万年の時間尺度に対しては、実のところあまり良い時計がありません。しかし最近、我が国の宇宙地球化学者のグループが、半減期 160 万年の ^{10}Be を時計にして地殻変動の様子を調べる方法を開発しました。^{10}Be は宇宙線によって窒素や酸素から作られ、成層圏から対流圏、対流圏から地表、海水中へと拡散し、最後に、堆積物、表土、植物などに固定されます。彼らは、日本列島の火山から噴火によって放出された溶岩中の ^{10}Be を測ることによって、プレートに引きずり込まれて、マグマの中に沈み込んだ海洋堆積物中の ^{10}Be が再び地表に現れるまでの時間を測定しています。

6.4　原子核は真っ二つに割れた

フェルミの失敗

93 番元素を作ろうとする試みが核分裂の発見に繋がった

　放射能の発見に続いて、人類は元素変換の手段を手に入れることになりました。新しく手に入れたこの手段を使って、ウランに続く 93 番元素の合成実験の先陣を切ったのは、当時ローマ大学にいたエンリコ・フェルミでした。かれは、水を張ったたらいの中にラジウム―ベリリウム線源を浸し、出てくる中性子をウランに当てて 93 番元素を作ろう

としましたが、思いもかけない程多くの放射能が生成してしまい、すっかり混乱してしまいました。フェルミが物理学者であったために、生成物を化学分離するという方法を採らなかったことが彼の限界になりました。

　フェルミの報告に興味を持ったのが化学者のオットー・ハーンでした。彼は、卓越した化学分離技術を駆使した追試実験により、生成物の中に独立の三つの壊変系列を見付けました。そのうちの二系列は、彼自身が後に弟子のシュトラスマンと共に発見することになる核分裂の生成物とその壊変核種に相当していましたが、残る一系統は ^{238}U の中性子捕獲反応による ^{239}U とその娘核種である ^{239}Np をほぼ正確に指摘しています。これは当時の未発達な核種同定技術のレベルから見てまさに驚異的なことでありました。1937 年のことです。ところで、せっかく見付けた 93 番元素でしたが、当時はネプツニウムを単離することが出来なかったために、93 番元素発見の栄誉が彼等に帰せられることはありませんでした。

核分裂の発見

ウランの中性子照射の生成物の中にバリウムを見つけた

　1938 年頃、イレーヌ・キュリーとサビッチは、ウランの中性子照射により半減期 3.5 時間のアクチニウム類似の放射性核種を生じるが、この核種はアクチニウムよりむしろランタンに似た挙動をすると報告しました。ハーンとシュトラスマンがこの追試を試み、中性子照射し

たウランにマクロ量のバリウムを加えて塩化バリウム沈殿法で化学分離を行なったところ、バリウムと挙動を共にするラジウム同位体らしき三種類の放射性核種を得ました。もしこれらの核種がラジウムであるとすると中性子照射によってウランから2個のアルファ粒子が飛び出さねばならないことになりますが、それはエネルギー的に見て起こり得ません。次に彼等はこの"ラジウム同位体"をバリウムから分離することを試みましたが、トレーサー（追跡子）として加えたラジウムとは一緒に行動せず、意外にもバリウムと全く同じ化学挙動を示すことが見いだされました。さらに、この放射体は、放射性ランタンに変化することも確認されました。ウランの原子核はほぼ真っ二つに割れたと考えざるを得ませんでした。ウランが分裂するとなれば、それまで謎に包まれていた多様な放射能の身元を突き止めることは、彼等にとって比較的簡単なことでした。

　これは当時としては全く予想外のことでした。原子核が壊れるといっても、それは高々アルファ粒子か陽子ないし中性子が1個か2個出る程度のことしか考えられなかったからです。彼等は1939年1月6日発行の学術誌に"不本意ながらウランは分裂していると考えざるを得ない"と発表しました。同時に、核分裂発見の知らせは、アメリカの物理学会に出席直前のニールス・ボーアに伝えられ、彼によって会場で出席者に核分裂発見の報がもたらされて、一大センセーションを巻き起こしました。

ボーア―ウィーラーの液滴模型

原子核は液滴に似た性質を持っている

　一旦原子核が分裂することが見つかってしまうと、そのメカニズムは速やかに理解されていきました。核分裂発見の報告がなされたと同じ年に、ボーアは弟子のウィーラーと共著で核分裂の大論文を書き上げました。彼等は、原子核を一様に帯電した液滴として扱う液

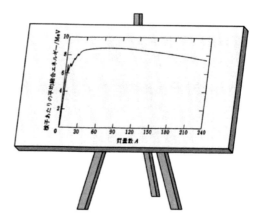

図6.4　核子当たりの平均結合エネルギー

滴模型を基に、核分裂現象に関わるほとんどすべての事柄について説明を試みました。

　原子核を液滴で近似する根拠は次のように与えられます。まず、原子核の体積は質量数に対して非常に良い比例性を示しますが、このことは核物質が非圧縮性であることを示唆します。一方、結合エネルギーもまた質量数にほぼ比例することを前に述べました。これは核力が飽和性を有するという解釈に導きます。核内の核子が近傍にある少数の核子としか相互作用しないというのは液体に見られる性質です。

　1939年のボーア―ウィーラーの論文は、核分裂の研究に携わる者の

バイブルともいうべきもので、現在でも十分に価値を保っています。核分裂に関して、比較的簡単に解決出来るようなことはすべてこの論文で論じられていますし、逆に、彼等が解決出来なかった問題はいまだに解決されていないといって良いでしょう。

奇数の質量数を持つ重い核種は
中性子によって核分裂を起こす

　核分裂の実験的な観点からは、まず、中性子を吸収して核分裂を起こすのは、ウランの中に 0.7% しか含まれていない ^{235}U だけで、主成分の ^{238}U は分裂せずに ^{239}U となり、^{239}U は 23.5 分の半減期で 93 番元素の ^{239}Np に変わります。原子力発電はこの ^{235}U の中性子誘起核分裂を利用しているのです。他にも、ウランより重く、偶数の原子番号と奇数の質量数を持つ多くの核種が、中性子によって核分裂を引き起こします。その代表的な核種が ^{239}Pu です。

　ハーンとシュトラスマンの核分裂発見から 1 年以内に、ペトルツァークとフレロフによって ^{238}U の自発核分裂が観測され、核分裂が放射性壊変の一つの様式として確立されることになりました。外部からの励起によらない自発核分裂は 90 番のトリウムより重い元素で数多く存在し、その半減期は 1 万分の数秒から 2 千万年までの広い範囲にわたっています。

クーロン障壁の果す役割

原子核の中の核子はクーロン障壁によって閉じ込められている

　エネルギー的には、質量数100付近から上の核では核分裂は発熱反応になります。それにも拘わらず、クーロン障壁のために分裂片の核外放出が妨げられます。ウラン付近の重い元素になって初めてクーロン障壁に逆らって分裂片が外に飛び出せるように

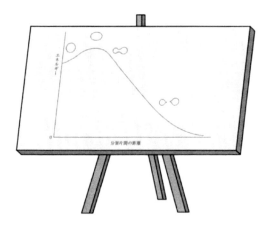

図6.5　核分裂の進行する様子

なるのです。クーロン障壁とは、原子核の持つ正の電荷と核外にある正電荷を持つ粒子との間に働く静電反発力のことで、帯電粒子が原子核に飛び込む時も外に飛び出すときも、その動きを妨げるように働く障壁のことです。この障壁があるために、原子核のなかの粒子は正の励起エネルギーを持っていても簡単には外に出てこられません。

　液滴模型は、自発核分裂の半減期をかなり良く説明しますし、核分裂に対する障壁の高さを良く再現します。液滴模型の働きはそれだけに止まらず、原子量の物理的な意味付けをするという働きをすること

になります。

液滴模型と質量公式

質量公式中の体積エネルギーと表面エネルギーの項

　核分裂発見に先立つ 1935 年に、ワイゼッカーはすでに、液滴模型に基づく質量公式を発表しています。その後幾つもの質量公式が提出され、それなりの成功を収めましたが、いずれも基本的にはワイゼッカーの質量公式と同じ流れに沿ったものです。その中で、1966 年にマイヤースとスウイアテッキーが導出した質量公式は、液滴としての核の性質を深く追求すると共に、殻効果（マジック効果）を効果的に導入して原子量に対する予言能力を高めた点で注目に値します。

　彼等は、原子核の質量を構成粒子である陽子と中性子の総質量から結合エネルギーを引いた形で表して、その結合エネルギーの中味を詳細に考察しました。結合エネルギーは四つの主要項と三つの補正項に分けて考えられます。最も主要な項は、核力が短距離力であることと飽和性からの帰結であって、質量数に比例し、体積エネルギーと呼ばれます。

　二番目の項は原子核の表面積に比例するエネルギーで、表面エネルギーと呼ばれます。核の体積は質量数に比例します。核を球と見なせば、その半径は体積の立方根に比例し、表面積は半径の二乗に比例しますから、結局表面積は質量数の 2/3 乗に比例することになります。表面に位置する核子はすべての方向を核子に取り囲まれていないため

に、核力が内側に向かってしか働きません。その分だけ結合エネルギーが小さくなるわけで、この項は負の符号を持ちます。これは水滴に働く表面張力に相当し、表面積が最小の球形になって表面エネルギーを最小にしようとします。

シンメトリー・エネルギーとクーロン・エネルギー

　三番目の項はシンメトリー・エネルギーまたはシンメトリー項とよばれるもので、クーロン力の影響が無視できる場合、与えられた質量数に対して最も安定な核種は陽子と中性子が同数の場合であり、それからどちらにずれても結合エネルギーが対称的に減少するという観測結果に合わせて導入された項です。以前、核ポテンシャルのところでお話ししたように、陽子と中性子に働く核力にはまったく区別がなく、核力以外にはなにも相互作用をしない独立の存在として、陽子と中性子を扱ってきました。したがって、シンメトリー力がなければ、質量数が陽子数と中性子数にどのように配分されるかについては一切制限がなくなってしまいます。

　シンメトリー項は、負の符号を持ち、陽子数と中性子数の差の二乗に比例する他、質量数に逆比例します。なぜ質量数に逆比例するかというと、陽子―中性子対の結合エネルギーへの寄与は陽子―中性子対が核力の到達範囲内に存在する確率に比例し、その確率は結局核の体積に逆比例することになるからです。

　四番目の項はクーロン・エネルギーです。これは核内の陽子同士のクーロン反発によって生じる静電エネルギーで、その大きさは原子番号の二乗に比例し核半径に反比例します。クーロン反発力は核を不安

定化しますので、この項の符号も負になります。この項は原子番号 Z の二乗に比例するので、Z が増加する程重要性が増します。このクーロン反発力を弱めるため、Z が 20 より大きいすべての安定核は陽子より中性子をより多く含むようになります。

三つの補正項と殻効果

原子核は核子が対になることで安定化する

　三つの補正項の最初のものは、クーロン・エネルギーに対する補正で、これは核の表面がシャープでなくぼやけていることに由来するものです。残りの二つは、ペアリング・エネルギーとシェル・エネルギーです。これらの補正項は、いずれも主要項に比べて小さな量ですが、重要な役割を果たします。

　ペアリング・エネルギーもまた、種々の観測結果からの要請によるものです。天然に存在する安定な同位体は、陽子数、中性子数が共に偶数の"偶—偶核"が圧倒的多数を占め、157 核種に及ぶのに対して、質量数 A が奇数の"奇 A 核"は 105 核種に過ぎません。"奇—奇核"に至っては、安定なものは ^{2}H, ^{6}Li, ^{10}B, ^{14}N の 4 核種に限られます。これらの事実は、2 個の同種の核子が逆向きのスピンで対を形成することによって、一つのエネルギー順位を完結させるということで説明されます。

　エネルギー状態を満たすことによって核がより安定になることは、偶—偶核の種類の多さのみならず、その相対的な存在比がより大きい

ことによっても明白です。平均して、偶 Z の元素は約 10 倍の存在比を示しますし、偶 Z の元素では偶 A の同位体の存在比が、一般的に言って 70 ないし 100％に及びます。

　ベアリングの補正は、質量数が奇数の核を 0 として、質量数の平方根に逆比例する量を偶―偶核に対してプラス、奇―奇核に対してマイナスの量として加えることにします。

マジック・ナンバーに該当する核種は
原子量が大幅に落ち込む

　最後に、マジック・ナンバーに該当する核種では原子量が大幅に落ち込んでいることに対する補正を加えます。これは核子の軌道がマジック・ナンバーの位置で閉じていて、その位置で核が大幅に安定化されていることを表しており、シェル効果と呼ばれます。

　こうやって作り上げた質量公式には 7 個ほどの任意係数が含まれていますが、これらは、不安定核をも含めて、実測されている同位体の原子量の値を最も良く再現するよう

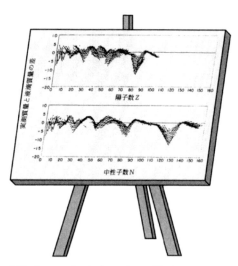

図6.6　マジックナンバー。下の図では同じ陽子数の核種同士、上の図では同じ中性子の核種同士を結んで図示している

に決められます。マイヤース―スウィアテッキーの質量公式は、既知の原子量を 0.5MeV（MeV は百万電子ボルト）、原子量の単位にして大体 1 万分の 5 以内の精度で再現するだけでなく、安定原子核の領域から遠く離れた不安定同位体の原子量を予言することができるという優れた能力を持っています。

役に立つ質量公式

A が一定の核同士の質量公式は Z の二次式になる

　原子量が質量数と原子番号の関数として表されたことにより、原子核の色々な性質を理解することが可能になりました。たとえば、核子当たりの結合エネルギー曲線が質量数 A＝60 の辺りで極大になるという一般的な形は、A と共に減少する表面エネルギーと、A と共に増加するクーロン・エネルギープラス対称エネルギーという二つの相反する寄与による結果であることが結論されます。

　A が一定の核を同重核といいます。同重核をグループとして見ると、質量公式は、Z だけの関数となり、しかも、その形は、放物線でお馴染みの Z の二次式になります。そして、核種は、放物線上のそれぞれの原子番号に対応する Z の整数の位置を占めるのです。質量の小さい核種程安定で、不安定な核種は、ベータ壊変によってより安定な核種に変わります。

隅核と奇核の性質の違いは質量公式で説明できる

　A が奇数の同重核は一本の放物線上にならびますので、安定な核種は一つしかありません。安定な核種に近くなる程、ベータ線のエネルギーが小さくなると共に、寿命が長くなる様子が、図 6.7a から読み取ることができます。

　これに対して、A が偶数の偶核では、ペアリング効果がはたらくために、質量曲線が二本になり、Z が奇数の核種は上の放物線に、偶数の核種は下の曲線上に並ぶことになります。そのため、図 6.7b に示したように、安定な核種が少なくとも二つ、場合によっては、三つ存在することになります。さらに、ベータ線のエネルギーも核種の寿命も、一つ置きに、大きくなったり小さくなったりするという観測結果を、きれいに説明します。

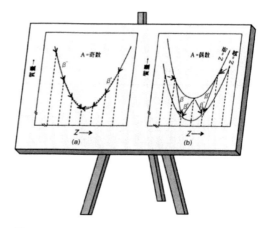

図6.7　A＝一定の面で切った時の核エネルギー表面の断面図。β崩壊に対する同重体の安定度を与える

第 7 章 周期表のフロンティア

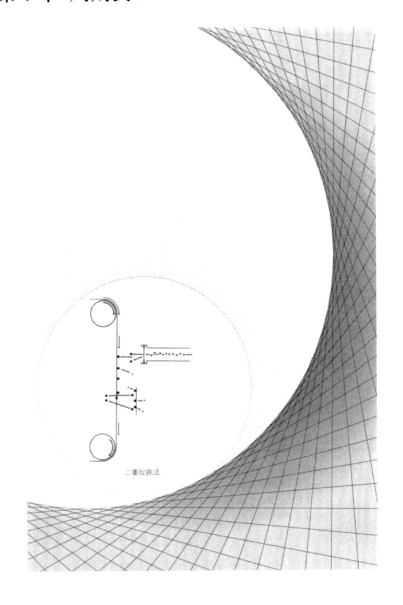

二重反跳法

7.1 バークレーの独壇場

最初の超ウラン元素

93 番元素発見の栄誉はハーンには与えられなかった

　新しい錬金術の手段を手に入れた人類の関心は、最も重い天然の元素であるウランの先に広がる未知の領域に向けられることになりました。爾来、超ウラン元素合成・発見の歴史は、さながらアメリカ西部開拓史を彷彿とさせる波乱万丈の物語となりました。

　ハーンとシュトラスマンは、フェルミの実験の追試を行った中で、^{238}U の中性子捕獲反応の生成物である ^{239}U とその娘核種の ^{239}Np をほぼ正確に指摘しています。しかしながら、当時の技術ではネプツニウムを単離することは出来ませんでした。新元素発見が学会で認められるためには、キュリー夫人のラジウム発見の例でも明らかなように、放射能以外の性質を何か一つは示さねばなりませんでした。そのため、93 番元素発見の栄誉はハーンには与えられず、93 番元素の認知はサイクロトロンの登場を待たねばなりませんでした。ただし、ハーンには核分裂発見の業績に対して、1944 年にノーベル化学賞が贈られています。

初の超ウラン元素発見の栄誉は
バークレー・グループに与えられた

　1940 年、カリフォルニア大学バークレー校のアーベルソンとマクミ

ランは、ローレンスがバークレーに作り上げたサイクロトロンという粒子加速器を使って、核分裂生成物の反跳エネルギーを測る実験を行っていました。サイクロトロンで加速した重陽子をベリリウムに当てて発生する中性子をウラン酸化物に照射したところ、核分裂生成物に比べて格段に反跳エネルギーの小さい、半減期 2.3 日の放射能が生成することを見出しました。93 番元素の誕生でした。同じ年、彼等はサイクロトロンからの重陽子を直接ウランに照射して、87.7 年の半減期を持ちアルファ線を放出して壊変する放射能を発見しました。94 番元素です。

その後 1 年余りをかけて、93 番と 94 番元素の化学的性質を調べ、それらが周期表の VII 族のレニウム、VIII 族のオスミウムよりはむしろウランに似ていることを確かめました。これによって、93 番元素と 94 番元素の発見が正式に認められ、発見者によってそれぞれネプツニウム Np とプルトニウム Pu と命名されました。名前の由来は、太陽系にちなんで、天王星（ウラヌス）の次に位置する星、海王星と冥王星の名を採ったものです。

シーボルグのアクチニド仮説

第二の希土類が存在するか否かは
微妙な問題のように思われた

周期表の第 7 周期に第二の希土類が現れるか否かについては論争があり、どちらかと言えば無いという意見の方が優勢でした。バークレ

一・グループのメンバーであった G.T. シーボルグは、ネプツニウムとプルトニウムの化学的性質を基に、アクチニウムに続く 14 元素をアクチニドとして希土類のように周期表の III 族の位置に張り出す "アクチニド仮説" を提唱し、すぐに広く受け入れられました。アクチニド仮説の登場によって、新元素合成・検出の方法はルーチン化され、95 番から 98 番までの元素は、アクチニド仮説の予言に従って、計画通りに作られ確認されることになります。

表2 アクチニド元素の酸化状態。最も安定な状態を太字で示す。

原子番号	89	90	91	92	93	94	95	96	97	98	99	100	101	102	103
元素記号	Ac	Th	Pa	U	Np	Pu	Am	Cm	Bk	Cf	Es	Fm	Md	No	Lr
酸化状態													1?		
							(2)	(2)	(2)	2	2	2	2	**2**	
	3	(3)	(3)	(3)	3	3	**3**	**3**	**3**	**3**	**3**	**3**	**3**	3	**3**
		4	4	4	4	**4**	4	4	4	(4)	4?				
			5	5	5	**5**	5	5	5?		5?				
				6	6	6	6?								
					7	(7)	7?								

アクチニド仮説の収めた輝かしい成功にも拘わらず、第二希土類が存在しないとする意見も化学者の間には根強く残っていました。そのことは、元素の取る原子価の一覧表を見ても頷けます。89 番のアクチニウムの 3 価に始まって、ウランまでは最も安定な原子価は一つずつ 6 価まで増えていきます。したがって、ウランまでの元素を見る限りでは、第二の希土類は存在しないと判断する方が順当のように思われます。

　このような複雑な様相が現れるのは、第 6 周期と異なり、第 7 周期

では 7p 軌道と 5f 軌道のエネルギーが一段と接近したためです。こう考えると、改めてシーボルグの卓見には敬意を払わざるを得ません。

アクチニド仮説に導かれた超ウラン元素合成実験

シーボルグ率いるバークレー・グループの独壇場が続く

シーボルグらは、²³⁹Pu を出発物質として、アルファ線ビームの反応でまず 96 番のキュリウムを、次いで二重中性子捕獲反応で 95 番のアメリシウムを合成しました。これらの元素の確認にはマンハッタン・プロジェクトの中で開発されたイオン交換法が活用されました。新元素の名前 Cm と Am はそれぞれキュリー夫妻と彼等の母国アメリカに敬意を表して付けられました。

97 番元素と 98 番元素に必要な

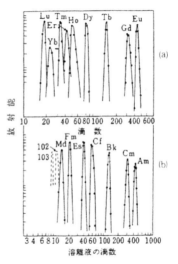

図7.1　ランタニド（a）とアクチニド（b）の溶離曲線

ことは、ターゲットとして十分な量のアメリシウムを用意することと、極めて効果的な化学分離法を確立することでした。上に述べたイオン交換分離法は、この目的にまさに理想的でした。陽イオン交換樹脂を充填したカラムに装着した希土類元素をアンモニウムαヒドロキシイ

ソ酪酸で溶離させると、原子番号と逆の順に、重い希土類元素から溶出してきます。アクチニド元素も同様に原子番号と逆の順に溶出するだけでなく、溶出する位置が対応する希土類元素とほとんど同じになります。これらの状況は、未知のアクチニド元素の検出・同定には理想的であり、これ以降、元素が重くなるにつれてますます困難になる新元素発見の実験で威力を発揮することになります。

　1950年、バークレーのトムプソンらはミリグラムのアメリシウムと千分の一ミリグラムのキュリウムを得てアルファ線照射によって97番のバークリウム Bk と98番のカリホルニウム Cf を合成・同定することに成功しました。新元素の名前には、彼等の研究所の所在地と州の名を採りました。

水爆実験で見つかった二つの超ウラン元素

偶然発見された99番と100番元素

　99番と100番の二つの元素は全く意外な形で発見されました。1952年11月1日、西太平洋のエニウエトック環礁で行われた初の熱核兵器実験の際に、フィルターを積んだ無人飛行機が採取した試料の分析を行ったところ、新発見の重いプルトニウム同位元素と共に、イオン交換でカリホルニウムより重い元素の位置に放射能が流出することが認められました。そこで、改めて100キログラムを超すサンゴを採取して、アメリカのアルゴンヌ国立研究所、ロスアラモス国立研究所、バークレー放射線研究所の合同チームが分析を行ったところ、まず1952

年 12 月 19 日に 99 番元素が、次いで翌年の 1 月 16 日に 100 番元素が確認されました。この時見付けられた 99 番元素は半減期20日の ^{253}Es、100 番元素は 20 時間の ^{255}Fm でした。特に、検出された 100 番元素は僅か 200 原子に過ぎませんでしたが、この値を爆発時に戻すと 4×10^{21} というとてつもない数になります。核爆発の中心では超新星の爆発と同じような状態が出現したことが判ります。99 番のアインスタイニウム Es、100 番のフェルミウム Fm という名前は、二人の科学上の巨人、アインシュタインとフェルミから採られています。

1 原子ベースの 101 番元素合成

計画通りに 1 原子ずつ合成された 101 番元素

　1955 年バークレーでは、ギオルソらが ^{253}Es にアルファ線を照射して 101 番元素を合成しました。この時の実験は、文字どおり一つ一つ作るやり方で新しい元素を合成する最初の試みとなりました。この実験でターゲットに用いられた ^{253}Es は原子数にして 10 億個（10^9 個）以下であり、約 1 万秒のアルファ線照射を行いました。予想では 1 回の実験で 1 個の 101 番元素が生成する筈でした。

　実験の手順は、非常に薄いターゲット箔から反跳で飛び出す生成核を捕集箔に捉え、イオン交換法で希土類元素のツリウムに対応する位置に溶出する放射能を検出するやり方でしたが、結果は 5 個の原子が得られました。彼等は、101 番元素に周期律の発見者メンデレーエフの名前にちなんで、メンデレビウム Mv と名付けました。

競争相手の出現

国際チームの報告はギオルソらの追試で否定された

　核爆発実験で発見されたアインスタイニウム、フェルミウムを除いて、ここまでバークレーの独壇場であった新元素発見のレースに、初めてバークレー以外のグループが参入する事になります。1957 年、米国アルゴンヌ国立研究所、英国のハーウェル研究所、スウェーデンのノーベル研究所のメンバーからなる国際チームが、ノーベル研究所のサイクロトロンを使って、4%の ^{246}Cm その他の同位体を含む ^{244}Cm のターゲットに ^{13}C を照射しました。最適のエネルギーが不明だったため、エネルギーを分散させたビームを用い、薄いキュリウム・ターゲットから反跳法によって生成物を分離、電離箱で 8.5MeV のアルファ線を数個観測しました。半減期は 10 分でした。さらに、イオン交換分離法により、101 番元素より前の位置にこの原子を検出し、これによって 102番元素が確認されたと報告しました。この結果が認められて、彼等が提案したノーベリウム No という新元素名は "国際純正および応用化学連合 IUPAC" に承認されました。

　ところが、翌年にバークレーのギオルソらのグループが重イオン線形加速器を用いて行った追試実験では、より有利な実験条件であったにも関わらず、102 番元素の生成は認められませんでした。そこでギオルソらは、改めて 95%の ^{244}Cm と 4.5%の ^{246}Cm からなるターゲットに ^{12}C を照射する実験を試み、$^{254}102$ を作ることに成功しました。

二重反跳法

二重反跳法の開発で 102 番元素の合成に成功

　このときの実験には二重反跳法という新しい手法が考案されました。この方法は、生成核からのα壊変鎖を既知の核種に到達するまで追跡して親核種を特定するジェネティック法と名付けられた親子関係追跡法と組み合わせて、その後の新元素合成実験に於いて大いに威力を発揮することになります。その原理は次のようなものです。核反応の際の反跳によって前方に飛び出した生成核を、一定のスピードで動くベルト状の負に帯電した捕集箔にまず捕集します。ベルト上を運ば

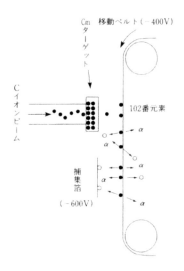

図7.2　二重反跳法による、102番元素の合成・同定法

れた生成核がその寿命に応じてアルファ壊変する際に、娘核は反跳によってベルトに向き合う固定捕集箔に捕えられます。二次捕集箔上の娘核の分布状態を測れば、一次捕集ベルトのスピードから親核の半減期が求められます。また、二次捕集箔上に捕集された娘核が既知であれば、その親核が同定されることになります。

混乱は回避された

　ギオルソらは、二次捕集箔の一部を切り取って溶解し、イオン交換法によって既知のフェルミウムの溶出位置に半減期 30 分の ^{250}Fm の放射能が溶出する事を確認しました。このことから生成した親核は ^{254}102 であると結論しました。一方、二次捕集箔の代わりにアルファ検出器を置いてアルファ計数値とベルトのスピードとの関係から ^{254}102 の半減期を 3 秒としました。この実験によって 102 番元素発見の栄誉を獲得した彼らは、改めてノーベリウムという名に敬意を表したため、混乱は回避されることになりました。

　のちにギオルソとシックランドは、ストックホルムの実験について、「このときの実験条件ではトリウムの分離が不十分であったと思われる」とコメントしています。4 価が安定なトリウムが 3 価のノーベリウムと同じ位置に溶出したためにそれと見誤った可能性があるということです。

102 番元素の数奇な運命

これだけでは決着しなかった 102 番元素合成実験

　102 番元素の物語はこれで決着が付いた訳ではありませんでした。のちに旧ソ連のドゥブナのグループの研究によって、^{254}No の半減期は 55 秒であることになり、ギオルソらの与えた 3 秒という値は誤りであることが判明したのです。このことから、ドゥブナのフレロフらは 102

番元素の確認はドネッツらによる $^{256}102$ についての実験であるとして、ドゥブナ・グループの先取権を主張しました。

これに対してギオルソらは、自分たちの誤りについて、そのとき同時に生成した 2.3 秒の ^{252}No からのアルファ壊変の孫核 ^{244}Cf を、アルファ粒子を放出して壊変する半減期 30 分の ^{250}Fm と混同したためと釈明しました。その上で、^{251}No を確認したのは確実であるから自分たちのプライオリティは変わらないと主張しています。

7.2　米ソの先陣争い

ドゥブナに遅れを取ったバークレー

ギオルソらの 103 番元素合成実験は
決定的証拠に欠けていた

1961 年、ギオルソらは、$^{249\text{-}252}Cf$ をターゲットとして、^{10}B と ^{11}B の二種類のビームによる反応によって半減期 8 秒の 103 番元素を得たと報告し、サイクロトロンの発明者であるバークレーのローレンスにちなんでローレンシウム Lw と命名しました。この時の核種同定の根拠は、観測された α 線のエネルギーが 102 番元素よりも高い 8.6MeV であったことと、反応確率のエネルギー依存性（励起関数）に見られる系統性であり、アルファ壊変鎖を利用するジェネテイック法に比べ多分に不明確さが含まれています。果たせるかな、彼らの見付けた $^{257}103$ は追試によって確認されず、誤りであったことが判明しました。その結

果、ローレンシウムという名はそのまま残ったものの、元素記号は IUPAC によって Lw から Lr に変更されました。現在知られているローレンシウムの同位体に 8 秒という半減期のものはなく、この時にギオルソ達が合成したのは半減期 3.9 秒の $^{258}103$ であったと結論されます。

ドゥブナ研究所が新元素合成の競争相手として登場した

1958 年頃から、旧ソ連のドゥブナ研究所のグループが新元素合成の競争に加わるようになりました。1965 年、ドゥブナのドネッツらは ^{243}Am と ^{18}O の反応によって 103 番元素を合成し、孫の ^{252}Fm との親子関係によって ^{256}Lr と同定・確認しました。^{256}Lr の半減期は 45 秒と測定されました。ドゥブナのグループは 1965 年から 1968 年にかけて 103 番元素の合成実験を何度も繰り返し、結論として、1961 年にバークレー・グループが観測したのは半減期 4.35 秒の ^{255}Lr か 5.4 秒の ^{259}Lr ではないかと述べています。もっとも、現在知られている ^{255}Lr の半減期は 21.5 秒でドゥブナのグループも間違いを犯しています。103 番で 5f 軌道が完結します。

カウンター・ホールの汚染事故に手を焼いたバークレー

バークレーのグループが 103 番元素合成でドゥブナに遅れを取ったのは、実験中に起きた思いがけない事故のせいでした。重イオン加速器 HILAC のビームラインをキュリウム・ターゲットから隔てていたヘリウム冷却層の薄窓に過剰な圧がかかって破れ、キュリウム・ターゲットが粉々になって 100 億ベクレル余り（300 ミリキューリー）のア

ルファ放射能がカウンター・ホール中に飛散してしまったのです。そのため、カウンター・ホールが完全に使用不能になり、除染を終えて再びホールが使えるようになったのは 1967 年頃でした。その間、新元素合成実験はドゥブナ・グループの独り舞台にならざるを得ませんでした。

104 番元素の先陣争い

フレロフらの実験は決定的な証拠があるとは言えない

104 番から 109 番までの元素については、プライオリティを巡って米ソが鋭く対立して譲らず、それぞれ別個の名前を主張したために、長い間元素名が決められませんでした。1997 年になってようやく、IUPAC の場で妥協が成立して 109 番までの元素名が決まりました。

1964 年、ドゥブナの G. N. フレロフらのグループは、^{242}Pu と ^{22}Ne の反応によって、半減期 0.3 秒で自発核分裂のみによって壊変する $^{260}104$ を合成したと発表しました。彼等の核種同定の根拠は、$^{260}104$ 生成反応に対する励起関数の最大値を与えるエネルギー値と、同時に検出したと主張する $^{259}104$（半減期 4 秒、自発核分裂 10〜20％）生成反応の励起関数のそれとの相対関係とでした。さらに、1966 年には、同じドゥブナのズヴァラらが、この $^{260}104$ と同定した放射性元素が揮発性の塩化物を形成することを見出し、この性質は同じ IV 族のハフニウムとの類似性を示すもので、104 番元素であることの証拠になると主張しました。これらの実験事実に基づいて、フレロフらは旧ソ連の核物理研

究の先駆者であるクルチャトフの名前にちなんでクルチャトビウムという元素名を提唱しました。これに対して、バークレーのグループは疑義を呈し、ドゥブナのプライオリティを認めませんでした。

ドゥブナに遅れをとったが
ギオルソらの実験は説得力がある

　HILAC での深刻な汚染事故のためにドゥブナに遅れを取っていたバークレーのギオルソ達は、ようやく実験を再開し、1969 年になって ^{249}Cf と ^{12}C の反応によって半減期およそ 3 秒のアルファ放射体を観測し、そのアルファ壊変によって既知の ^{253}No が生成することから ^{257}104 と決定しました。これに基づき、ギオルソらは元素変換を発見した核物理学の巨人ラザフォードにちなんでラザホージウムという元素名を提唱しました。

　ズヴァラらがいう揮発性の塩化物を作るという性質が 104 番元素同定の決め手になるか否かについては、確かにギオルソらがいうように疑問が残ります。さらに 1976 年になって、ドゥブナのドルーインらが ^{260}104 の半減期を 0.3 秒から 20 ミリ秒に変更した事実も、ドゥブナのプライオリティにまつわる弱点と思われます。最終的には、IUPAC によって 104 番元素はラザホージウム Rf と決められました。

105番元素の先陣争い

痛み分けで採用されたドゥブナのプライオリティ

　1968 年、フレロフらは ^{243}Am と ^{22}Ne の反応によって短寿命のアルファ放射体を作り、その性質が ^{256,257}Lr に似ていると報告、これによって105 番元素が合成されたと結論しました。さらに 1970 年には、同じ方法によって繰り返し 105 番元素合成実験を行い、その質量数は不明なるも、半減期 2 秒で生成断面積が約 10^{-34} 平方センチメートルと報告しました。次いで、ドルーインらはこの核種に半減期 1.4 秒なる値を与え、さらに、オガネシアンらが半減期 1.8 秒、生成断面積 5.0×10^{-34} 平方センチメートルで、壊変様式は自発核分裂であるとしています。

　一方、バークレーでは、ギオルソらが ^{249}Cf と ^{15}N の反応で半減期 1.6 秒の ^{260}105 を合成したと発表しました。この時の実験では、反跳ミルキングにより、半減期 30 秒（正しくは 25.9 秒）の娘核種 ^{256}Lr を検出することによって同定が行われました。同時に、^{256}Lr の壊変による 3 本のアルファ線を検出しましたが、フレロフらが報告した 2 本のアルファ線はいずれも存在せず、また自発核分裂の分岐比も 20%以下であると述べています。これらの結果を基にドゥブナのグループはニールス・ボーアにちなんだニールスボリウムを、一方、バークレー・グループは核分裂の発見者オットー・ハーンの名を採ってハーニウムという元素名を提唱しました。客観的に見るところ、ドゥブナの一連の実験では 105 番元素が疑問の余地無く同定されたとはいい難く、バークレーの業績に軍配を上げるのが妥当であろうと思われます。最終的にIUPAC が採用した元素名はドゥブナ研究所の名を取ったドブニウム Db

でありました。

106番元素の先陣争い

米国グループの悲願が実って
シーボーギウムという元素名に！

　1976年、ドゥブナのオガネシアンらは ^{207,208}Pb と ^{54}Cr の反応により半減期ナノ秒（10^{-9}秒）の自発核分裂を観測し、これを106番元素であるとしました。同じ年、ギオルソらは、^{249}Cf と ^{18}O の反応によって生成した半減期0.9秒のアルファ放射体を、^{263}106→^{259}Rf→^{255}No の親子関係により ^{263}106 と同定しました。ギオルソらの結果は、米国オークリッジ国立研究所のグループの追試によって支持されました。したがって、106番元素に関してはギオルソ達の優位性は間違いのないところと言えます。

　106番元素の名前については、米国グループの悲願が実って、アクチニド説の提唱者であるシーボルグにちなんだシーボーギウム Sg とすることが IUPAC によって承認されました。

ターゲットと入射粒子の組み合わせの違いが
事態を紛糾させた

　ところで、102番以降の元素合成では、出来るだけ重い元素をターゲットにして比較的小さい重イオンをぶつける方法が採られて来ました。

しかしながら、バークレーではカリホルニウムやアインスタイニウムのような重元素が用意出来たのに、ドゥブナでは精々アメリシウム止まりでした。このため、ターゲットと入射粒子の組み合わせが両者で異なり、生成する新元素の質量数も^{260}105 を除いて同じになりませんでした。これが両者の先陣争いに決着がつかなかった一因でもあります。

冷たい核融合反応、主役の交代

吸熱反応を使うことで残留核の生存確率を高めた

これらの実験で使われた核反応は、クーロン障壁を乗り越えるために入射イオンに高いエネルギーを与えねばならず、そのため、生成核に大きなエネルギーが残されて不安定になるという欠点がありました。これらの反応は熱い融合反応と呼ばれるのに対して、オガネシアンらが 106 番元素に対して採用した反応形態は冷たい融合反応と呼ばれ、107 番以降の新元素合成に専ら使われることになります。

オガネシアンらが導入した冷たい融合反応とは、ダブル・マジックまたはその近傍の鉛やビスマスをターゲットにして、入射イオンに鉄等の遷移元素を用いる方法です。このような組み合わせでは大きな吸熱反応となるため、生成核に僅かなエネルギーしか残らず、高々1個か2 個の中性子を放出するだけで、残留核が生き残る確率が高くなります。

冷たい融合反応の登場を境にして新元素合成実験の様相は一新され、

実験の主役もバークレーやドゥブナに代わってドイツの重イオン研究所のミュンツェンベルクやアームブルスターを中心とするグループに移ることになります。

7.3　超重元素島

変形効果を入れた質量公式

質量公式の精密化が思わぬ副産物を産んだ

　106番元素が発見されてから次の新元素が発見されるまで、7年の歳月が経過しました。その主な原因は研究者の関心が超ウラン元素の延長としての新元素合成よりも超重元素に重心を移したためです。超重元素は、核分裂の理論的研究の中でマイヤースとスウィアテッキによってなされた予言でした。

　ハーン―シュトラスマンによって発表された核分裂事象は、ボーア＝ウィーラーの液滴模型によってその基本的な骨格が説明されました。その後、液滴模型は様々な形で精密化が図られました。中でも、マイヤースとスウィアテッキは、殻効果を考慮した液滴模型に基づいた質量公式の中に核の変形を導入し、原子質量に加えて核分裂障壁を再現する結果を得ました。それだけに止まらず、彼等の質量公式は思わぬ副産物を生み出すことになりました。

ダブル・マジック安定領域

核の変形を考慮するとダブル・マジックの安定領域が近く
なった

　ボーア＝ウィーラーの液滴模型では、原子核が重くなるにつれて、
自己クーロン反発力のために安定性が失われ、原子番号が 100 を越え
てしばらくすると、核分裂に対して不安定となり、もはや存在出来な
くなる限界があることが示されていました。これに対し、マイヤース
―スウィアテッキの計算によるとダブル・マジック（二重閉殻構造）
のために、不安定領域の中に再び安定な原子核が現れることが示され
ました。さらに、変形核の核構造の研究の結果、陽子のマジックが 126
より手前の 114 で現れることが分かってきました。予想よりも近い位
置に安定領域が現れる可能性がでてきたのです。
　彼等は、図 7.3 に示したように、原子核の原子番号 Z と中性子数 N
とで表した平面上に原
子核の安定性を目盛っ
た三次元の俯瞰図を描
いたときに現れるダブ
ル・マジックの安定領
域を超重元素の島と名
付けました。超重元素
島は、世界中の原子核
研究者、特に核化学者
の関心を呼び、超重元

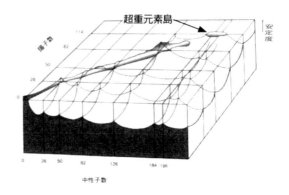

図7.3　陽子数－中性子数平面上の原子核の安定
　　　　度を示す

素探しが 40 年近くにわたって続けられています。

天然の超重元素

失敗した天然の超重元素探し

　超重元素探しは、まず天然に存在する可能性の追求から始まりました。1960 年代後半に、フレロフは中世ヨーロッパの古い教会で使われていたステンドグラスの中に超重元素起源の核分裂痕を見付けたと報告して、世界中にセンセーションを巻き起こしました。しかしながら、彼の結果はたくさんの追試によって否定された上、世界中の研究機関による他の様々な試料についての探索も徒労におわっています。中でもバークレーのトムプソンらのグループは世界中から様々な試料を取り寄せて徹底的に調査しましたが、ついに肯定的な結果を得ることが出来ませんでした。

　我が国でも、大阪大学と京都大学の合同チームが閉山のため水没間際の生野鉱山に入り、地下 1000 メートルから担ぎ上げた鉱石と製錬所の煙突で出た煙煤とを持ち帰って分析しましたが、有為な結果は得られませんでした。

ジェントリーが見つけたジャイアント・ハロー

　なみいる否定的な報告の中で、ただ一つ注目に値すると思われるのは、ジェントリーの仕事です。彼は、長年にわたって研究していたマ

ダガスカル島産の雲母中に見られるハロー（着色斑）の中に、異常に大きなものが存在することに気づきました。彼は、この巨大ハローが1千百万〜1千5百万電子ボルトのアルファ線に相当する放射線によって作られた筈であると見積もり、そのような高エネルギーのアルファ線を放出するのは超重元素に違いないと考えました。そこで巨大ハローを含む部分を切り取って加速器で照射し、励起された超重元素の出す特性X線を観測しようとしました。

　その結果、他の原因による大きなバックグラウンド・スペクトルの上に 124、126、127 番元素の特性 LX 線に相当する位置に小さなピークが観測され、首尾良く超重元素の発見に成功したと思われました。しかしながら、その後の検討によって、問題のピークは ^{140}Ce の陽子による核反応生成物の出すガンマ線等であったことが明らかとなって、幻の成果に終わりました。ただ、ジェントリーは、実在する巨大ハローの原因は超重元素以外には考えられず、したがって少なくとも過去に超重元素が存在した可能性が否定されたことにはならないと主張しています。

超重元素の合成

ウラン―ウランの衝突もうまくいかなかった

　結局、自然界に生き残っている超重元素発見が成功しなかったことにより、超重元素を人工的に合成しようという試みが世界各地でなされるようになりました。特に、アメリカは国威をかけてこの目的に取

り組み、バークレーに重イオン線形加速器 HILAC とベバトロンという高エネルギー陽子加速器とを結合した高エネルギー重イオン加速器 BEVALAC を建設しましたが、肝心の超重元素の合成には成功しませんでした。ドゥブナその他世界中の研究機関での試みも悉く失敗に帰すという状態が長いこと続きました。

　様々な方法が試みられた中で、ウランの原子核同士の衝突の際の質量移行反応によって超重元素を作る方法が最も有望であるように思われましたが、肝心の超重元素の性質が分からない状態で目的の元素を見つけ出すのは、藁の山の中から一本の針を探し出すようなもので、結局は成功しませんでした。

本島の端から順に架橋して超重元素島に辿り着く方法

　これに対してダルムシュタットの重イオン研究所 GSI のミュンツェンベルクらのグループは図の中の安定原子核本島の端から徐々に橋を架けていって 114 番付近にある筈の超重元素島に上陸する方法を選ぶことにしました。彼らは、電場と磁場を組み合わせて、核反応の際の反跳で前方

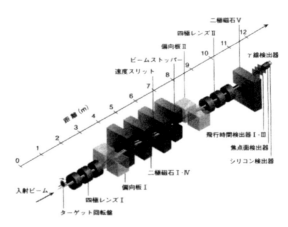

図7.4　ドイツ重イオン研究所（GSI）の反跳分離装置SHIP

に飛び出して来る反応生成物を選択的に取り出すことの出来る SHIP と名付けた反跳分離装置を開発しました。この装置は入射イオンの影響をほとんど完全に取り除くことが出来るため、ノイズが非常に低いという長所を持っています。

　彼らはまず手始めに ^{209}Bi と ^{50}Ti の反応で既知の ^{258}105 を作り、次に ^{209}Bi と ^{54}Cr の反応で合成した ^{262}107 を、^{258}105 の放出するアルファ線を手がかりとして、親子関係から同定しました。さらに、^{209}Bi と ^{58}Fe の反応で ^{266}109 を作り、先に決定した ^{262}107 と ^{258}105 のアルファ線との親子関係から同定しています。108 番元素の合成に成功したのは 3 年後のことでした。

　1990 年代に入るとバークレー・グループはそれまでの勢いを失い、ロシアのグループや急速に力をつけて来た西ドイツのグループの後塵を拝するようになります。特にドイツのダルムシュタットのチームの活躍は目覚ましく、1994 年から 96 年という短期間に 110、111、112 番の三元素を立て続けに作り出しました。しかしながら彼らの業績はなかなか認められず、112 番元素がコペルニシウム Cn の名前で周期表の中に迎え入れられたのは 2010 年のことでした。

3 チームが相次いで発表した 114 番元素はどれも中性子不足

　これ以後も新元素合成実験の成果は着々と進み、1999 年にはドゥブナの合同原子核研究所のオガネシアンらのグループが（^{244}Pu＋^{48}Ca）反応で ^{289}114 を合成したと発表し、2009 年にはバークレー・チームが

（^{242}Pu＋^{48}Ca）反応で^{287}114と^{286}114を、2010年にはドイツの重イオン研究所がドゥブナと同じ反応で^{288}114と^{289}114を合成したと発表しました。ただこれらの反応ではどうしても中性子の数が足らず、ダブル・マジックに届かないのが難点です。

劣勢の挽回を謀ったバークレー校のチームは、110番および112番元素の発見に貢献のあったブルガリア人のヴィクトル・ニノフをドイツから雇い入れ、半ば引退していたアル・ギオルソまで引き戻して陣容を刷新し、グループは活気を取り戻しました。

バークレーで発覚した118、116番元素のデータ捏造事件

彼らはポーランドの理論物理学者が提案した反応系（$_{36}$Kr＋$_{82}$Pb）を選んで118番元素を合成することを試みました。多くの科学者が馬鹿げていると非難したにもかかわらず、奇跡的に実験は成功し、118番元素のみならずその娘核種の116番元素までも発見されたと発表され、ニノフの評価は大いに高まりました。

ところが、ロシアとドイツのグループが行った追試ではクリプトンと鉛ばかりで118番元素は見つかりませんでした。そこでバークレーのチームの数人が自分たちでも追試を行った結果、何ヶ月経っても118番元素は1個も見つかりませんでした。そのためバークレー校の当局が介入して元の実験データのファイルを調べた結果、データが捏造されていたことが判明し、屈辱にまみれたバークレー・チームは118番元素の発見を取り下げました。

ニノフはデータの捏造は否定していますが解雇され、バークレーの施設は大幅な予算カットを受けて重元素の研究を続けるためにはドゥ

ブナまで行かなければならなくなりました。それだけでなくかつてニノフが所属していたドイツでも古いデータを調べ直した結果、ニノフの発見の一部を取り下げてしまいました。

ドゥブナとバークレーの合同チームが 116番元素合成に成功

　116番元素は、2001年から2005年にかけて、ドゥブナのオガネシアンとアメリカのリバモア研究所のムーデイをリーダーとする合同チームによって $^{48}Ca + ^{248}Cm$ の反応で都合30個の $^{293}116$ が合成されました。114番元素と116番元素は、2012年にIUPACによってそれぞれフレロビウムFlとリバモリウムLvと命名することが認められました。

　その後、ロシアのフレロフ核反応研究所とアメリカのリバモア研究所の合同チームが $^{48}Ca + ^{252}Cf$ の反応で118番元素を三個作ったと発表しましたが、α崩壊鎖で既知の核種にまで到達しておらず、認められるに至っていません。

ビッグ・プロジェクトになった超重元素合成実験

106番元素を境に米ソ対立に代わり 国際協力の時代になった

　106番元素を境に、新元素合成実験は明らかに質的な変化を遂げました。まず採用する反応が熱い融合反応から冷たい融合反応ないし暖

かい融合反応に変わり、実験手法が化学主体から物理主体に、そして重点が超ウラン元素から超重元素へと移ったことです。さらに、実験を取り巻く環境もこれまでの米ソ対立に代わって国際協力態勢が定着したことも大きな変化といえます。まさに辺境開拓の時代が終わりを告げ、宇宙開発や核融合研究のようなビッグ・プロジェクトの時代に入ったことと対比される状態になってきました。

我が国でも理研を中心に113番元素合成実験に着手

　我が国でも理化学研究所を中心とするグループが SHIP よりさらに強力な分離装置を開発して新元素合成実験の最前線に飛び出そうとしています。最近になって、彼等は113番元素合成のほぼ決定的な証拠を掴んだことが報じられ、日本人グループによる初の新元素発見ということで注目を浴びています。彼らは、2004年と2005年の二回にわたり、^{209}Bi に ^{70}Zn をぶつけて ^{278}113番元素を作り、その元素が4個のアルファ粒子を放出して既知の105番元素、になることを確認しています。ただ、データ数が足りないということで IUPAC が認めるまでには至っておらず、苦闘を強いられていましたが、7年後の2012年8月についに3例目の合成に成功しました。その日は奇しくも IUPAC の命名権を決める作業部会のメンバーが見学に理研を訪れる事になっており、まさに強烈なインパクトを与える結果になりました。113番元素発見の優先権は理研を中心とする日本のグループとロ米合同チームとの間で争われていますが、我が国に朗報が届けられる見込みが非常に高くなったと当時は思われました。

表3　超重元素

104　Rf ラザホージウム	105　Db ドブニウム	106　Sg シーボーギウム	107　Bh ボーリウム	108　Hs ハッシウム
109　Mt マイトネリウム	110　Ds ダームスタチウム	111　Rg レントゲニウム	112　Cn コペルニシウム	113 ニホニウム
114　Fl フレロビウム	115 ウンウンペンチウム	116　Lv リバモリウム	117 ウンウンセプチウム	118 ウンウンオクチウム

　しかし、それから2年以上経過した現在も期待した朗報は届けられていませんでしたが、2015年末になって、年明け早々にもIUPACが113、115、117、118番の4元素について一挙に審査結果を発表する予定という報道がなされて、理研グループの113番元素発見が認められる期待が高まりました。同年12月30日に九州大学の森田浩介をチームリーダーとする理化学研究所のグループにIUPACから〝113番元素の命名権を与える〟という連絡が入り、我が国の悲願が達成されることになりました。113番元素の名前はニホニウムと決まりました。

研究者たちは次のダブル・マジックを狙っている

　研究者たちが次に狙う目標は球形核に対する次のダブル・マジック（126、184）です。この場合の方が114番元素よりも陽子数に対する中性子数の割合が少ないので、ダブル・マジック核が作り易い利点がありますが、鉛かビスマスをターゲットにすると相手はルテニウムか

ロジウムということになって、冷たい融合反応が使えなくなります。そのため、再び、ウラン─ウランの組み合わせによる質量移行反応が有望になると思われます。

第8章　原爆と原子力発電

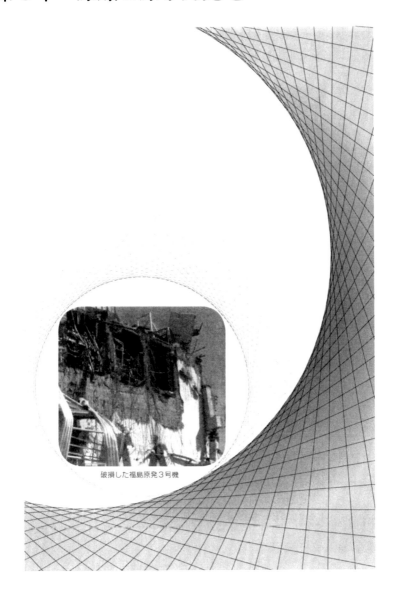

破損した福島原発３号機

8.1 原爆に脅かされる愚かな人類

核の恐怖からの解放

人類は何度も絶滅の危機に直面した

　放射能発見当時その正体は謎であるものの、放射能が途方もなく巨大なエネルギーを内臓していることが分かってきました。1903年には、早くもマスコミが新しい兵器としての可能性に着目しています。この可能性はやがて第二次世界大戦末期に原子爆弾となって現実化され、わが国の広島、長崎にこの世の地獄を現出することになりました。

　核エネルギーの最初の利用が原子爆弾の形で出現したことは、人類にとってまことに不幸なことでありました。半世紀近くも続いた東西冷戦時代に、朝鮮戦争やキューバ危機を始めとして、人類は幾度も一触即発の危機に晒され、明日の希望も持てない状態に置かれていました。1989年に起こったベルリンの壁の崩壊によって、人類はようやく全面戦争の恐怖から解放されたのでした。

憂慮される核の拡散

核の拡散を阻止すべき国連は機能不全に陥っている

　しかし愚かなことに、人類は一向に原爆を手放そうとしていません。第二次世界大戦の戦勝国である米英ロ仏中の五か国は、戦争抑止力と

称して一向に核兵器を放棄しようとしないばかりか、アメリカなどは局地戦に使用可能な小型原爆の開発に血道を上げている始末です。そして今や、大国でない国々が、自国の防衛のためと称して核兵器を持ちたがり、核の拡散が憂慮すべき事態になっています。

　一旦は核の脅威から開放されたに見えた人類は、再び局地的な核戦争とその結果としての放射能汚染に脅かされ始めています。本来ならば、核廃絶に向けての取り組みの主体となるべき国連は、ソ連の崩壊後独り超大国となったアメリカを先頭とする核大国の思惑に振り回されて身動きできず、機能していません。現在、ほとんど機能不全に陥っている安全保障理事会の改組が叫ばれて久しくなりますが、改革は一向に前に進んでいません。

　そんな中にあって、アメリカのオバマ大統領が"核のない世界を目ざす"という宣言をしたことは、世界中の人々に希望と期待を与えることになりました。世界の政治的指導者として初めて核兵器廃絶を唱えた事例として、かつてない重みを持って受け止められたからです。そのため、いまだ何の成果も上げていないにも関わらず、彼にノーベル平和賞が贈られました。しかしながら、ある程度予想されたこととは言え、その後何ら具体的な進展はなく、人々の期待は色褪せつつあります。

8.2 原子力平和利用の盛衰

第三の火

原子力発電の出現は福音として熱狂的に迎えられた

　原爆が核エネルギーの負の面として登場したのに対して、原子力発電は人類に希望をもたらす福音として、人々に迎えられました。エンリコ・フェルミが作り上げた人類最初の原子炉 CP-1 を記念して、シカゴ大学のフットボール・スタジアムの脇には「人類はここで始めて原子力エネルギーを制御しながら取り出すことに成功した」と誇らしげに宣言する看板が立てられています。

　我が国でも、アメリカからの輸入によって、東海村に日本最初の原子炉 JRR-1 が誕生した時には、日本中が湧いたものでした。「学者の横面を札束でひっぱたく」という政治家の暴言に端を発して誕生した日本原子力研究所ではありましたが、希望に燃えた優秀な若者が集まり、劣悪な生活環境の下で、原子力の平和利用の研究に邁進したのでした。

スリーマイル島の事故、反原発運動の高まり

度重なる原発の不祥事と当事者の対応の拙劣さが
世論を反原発に

　それから半世紀以上の年月が過ぎた今、世間の風潮はすっかり変わ

りました。広島・長崎の原爆の洗礼を受けた我が国では、特に強い核アレルギーがありましたが、1954 年の第五福竜丸事件[注 1]で死者を出したことにより、反核の感情は一層強まりました。それにつれて、原子力発電に対する世間の目も厳しさを増しました。世評に敏感なマスコミは、発電用原子炉の些細な故障ですら重大な事故であるかのような報道をして、人々の原発に対する不信感を助長し、反原発の勢いを高める役割を果たしたことは否めません。そのため、当時の科学技術庁や電力会社は、マスコミや反原発グループの目を気にして硬直した態度に終始し、事故や故障に対する対応に不手際を演じて、一層不信感を助長するという悪循環が繰り返されてきました。

些細な故障と人為的ミスが
スリーマイル原発の事故を深刻にした

　反原発の世論を決定的にしたのは、スリーマイル島とチェルノブイリの二つの原発事故でした。1973 年 3 月に米国ペンシルベニア州のスリーマイル島原子力発電所で深刻な事故が発生しました。始めは二次冷却水の末端の些細な故障だったのですが、給水バルブの開け忘れや圧力逃がし弁が開いたままになっていたために一次冷却水が喪失してしまい、原子炉が空焚き状態になってしまいました。その上、計器の不備・故障が重なって運転員がそれに気付かず、炉心が溶融してしまうという最悪の事態にまで進んでしまいました。このまま行けば炉心を包む格納容器の底が抜けて核燃料や大量の放射性物質が地面の中に溶け込む“メルトダウン”に発展するという、まさに危機一髪のところでしたが、主任技術者の的確な判断で炉心に冷却水が注入されて、

それ以上の被害の拡大は回避されました。幸いなことに、この事故による直接の死者は出ませんでしたが、大量の放射能が建屋の外に放出されることは防げませんでした。そのため、地元民は大きな不安に苦しめられることになりました。

注1)　1954年3月、南太平洋のビキニ環礁で米軍が行った水爆実験の際に、制限区域外の海域を航行中だった静岡県焼津港所属の第五福竜丸が大量の"死の灰"を被り、23人の乗組員全員が被曝しました。無線長の久保山愛吉さん以下三名がとくに重度の放射性障害にかかり、久保山さんが2ヶ月後に帰らぬ人となりました。

チェルノブイリ原発事故

無謀なテスト運転が史上最悪の事故を引き起こした

　スリーマイル島の事故から7年経った1986年4月27日から28日にかけて、スウェーデンでバックグラウンドの100倍もの放射能汚染が見つかった他、フィンランドでも汚染が見つかりました。その後、ポーランドや東西ドイツ等でも大量の放射能汚染が認められました。しかも、降下し

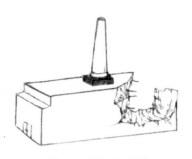

図8.1　爆発した原子炉

た放射性物質の中にヨウ素やセシウムが見つかったことから、炉心溶

融のような重大事故がどこかで起こったに違いないと推測されました。

　世界中が大騒ぎしている中で、ようやくソ連政府が原子炉事故の発生を公式に認めました。事故を起こしたのは、ソ連第三の大都市であるキエフ近くのチェルノブイリにある原子炉でした。事故は原子炉の暴走が引き起こした水蒸気爆発でした。事故の原因は、正規の発電用の運転終了間際に、定格の 6％の低出力で運転グループが独断で行った無謀な実験の結果、原子炉が制御不能になって暴走し、爆発的な水蒸気の発生や水と黒鉛やジルコニウムとの反応で発生した水素の爆発によって、建家ごと原子炉が吹っ飛んでしまったものでした。

チェルノブイリ型の原子炉は
一旦暴走を始めると制御不能になる

　西側で開発された原子炉は、通常負のボイド反応度係数を持っています。これは、何らかの理由で、燃料棒の周りの冷却水の中に泡が発生して冷却効果が下がった時には、炉心の反応度が落ちる働きをするということです。ところがソ連が設計したチェルノブイリ型の原子炉は正のボイド反応度係数を持っていました。そのため一旦暴走を始めた原子炉は、制御不能となって最悪の事態にまで進んでしまったのです。チェルノブイリ型の原子炉は未だに東欧圏に残っており、西欧諸国はその処置に頭を痛めています。

原子炉を覆った石棺は崩れ始めている！

　ソ連政府の公式発表によれば、爆発の際に発生した火災の消火活動で31人の人が亡くなったと報告されていますが、その後、破壊された原子炉を封じ込めるための"石棺"作りの作業に当たった作業員を含めて、死者の数は数千人単位に上るのではないかという推測もなされています。死亡した人たちは6シーベルト（Sv）の被爆を受けたと推定されていますが、これは一般人の年間許容線量の実に6千倍に当たります。さらに、今後10万人単位でガン患者が発生するであろうと予測されています。また、地元のウクライナとベラルーシ両共和国では、子供たちの間に大勢の甲状腺ガン患者が発生しており、治療のために日本を訪れた子供もいます。事故の後遺症はそれだけに止まらず、事故から25年の間大量の放射線の被爆にさらされ続けた"石棺"の劣化が進んで崩れる兆候が見え始め、西欧諸国はその対応に苦慮しています。

脱原発の流れ

脱原発の流れと温暖化防止対策は微妙にせめぎあっている

　原子炉に対する最大想定事故は、スリーマイルのような冷却材の喪失による炉心溶融事故で、今回のような爆発事故は全く想定外でした。それだけに世界が受けた衝撃は測り知れず、反原発の圧力も一気に高まりました。西欧では、すでにベルギーやスウェーデンが脱原発に踏

み切りましたし、ドイツも段階的に原発を廃止する方針を明らかにしています。そうは言っても、ベルギーでは自国の原発を止めて不足した電力をドイツの原発の電力を買って補うという方法で凌いでおり、脱原発は簡単にはいきません。さらに、最近関心が高まった地球温暖化防止対策との関連で二酸化炭素を発生しない原子力発電ということで、反原発の風向きが変わって、脱原発の政策が見直され始めています。

　アメリカで最も反原発の勢いが強いカリフォルニア州では、慢性的な電力不足のために大停電が発生した後、風向きが変ってきました。それどころか、オバマ政権はエコ対策の重要な柱の一つとして"二酸化炭素発生を伴わない原子力発電の推進"を掲げています。

8.3　我が国の原発関連事故

我が国の原発関連の不祥事

発覚した一連の不祥事はいずれも人災であった

　我が国では、2002 年に発覚した東京電力の一連の不祥事の後、所有する全ての発電炉が停止に追い込まれる事態を招き、2003 年の夏にはあわやカリフォルニアの二の舞になるのではないかと危惧されました。東電がやっきになって企業や民間に電力の節約を呼びかける一方で、何基かの原子炉の運転再開の許可を取り付けたことで、なんとか電力危機を乗り越えることができました。例年に比べて冷夏であったこと

265

も幸いしました。反原発グループは、この時の事態を捉えて、原発がなくても十分やって行けると主張しましたが、それは楽観的すぎると言わざるを得ません。

　チェルノブイリの事故の後も、我が国では原子力関係の不祥事が次々に起こり、国民の反原発の感情はますます高まりました。その最たるものが、高速増殖炉もんじゅのナトリウム洩れ、低レベル廃棄物のアスファルト固化施設の火災、そして JCO の臨界事故と続いた一連の事故でした。しかし遡って考えれば、遠く原子力船むつの中性子漏れに始まって、日本分析化学研究所の環境データ捏造事件や福島第二原発 3 号炉の再循環ポンプ大破損、美浜原発 2 号炉の蒸気発生器細管のギロチン破断に代表される一連の原子炉事故・故障がその底流となっていることが指摘されます。

もんじゅのナトリウム洩れ

漏れ出した金属ナトリウムは幸いにして
火災・爆発を免れた

　1995 年 12 月に、敦賀にある元動力炉・核燃料開発事業団（動燃）の高速増殖炉もんじゅの三つある二次冷却系の一つで煙が発生したことがモニターカメラで認められました。冷却管に穴が開いて冷却材の金属ナトリウムが洩れ、水または水蒸気と反応して、小さな火災が発生したと思われました。しかし、現場の放射能レベルが高くて作業員が近づくことができず、ナトリウムは 3 時間ほど燃え続けました。原子

炉を停止して二次冷却管の中のナトリウムを抜き出すまでに漏れたナトリウムの量は2〜3トンと見積もられましたが、幸いなことに、漏れたナトリウムはうず高く積もった塊となり、表面が酸化されたために、化学的に不活性になってそれ以上大事に至りませんでした。

外部への対応に不手際を重ね事態を悪化させた動燃

そのような訳で、当初はマスコミの報道もそれほど風当たりの強いものではありませんでしたが、まず、地元の福井県が動燃の対応はあらかじめ定められた異常時運転手順書に違反していることを問題にし、ついで、事故を記録したビデオ等の情報を動燃が隠そうとしたことが発覚して、一気に動燃に対する批判が吹き出しました。世論とマスコミの袋叩きにあって、冷静さを失った動燃は次々と不手際を重ね、墓穴を掘っていきました。庇いきれなくなった科学技術庁は、高速増殖炉計画を根本から見直すと宣言し、ためにもんじゅの運転再開は全く見通しが立たなくなりました。

もんじゅの事故から15年が経過し、その間に動燃は核燃料サイクル開発機構に改組された後、日本原子力研究所と統合されて日本原子力研究開発機構となって、ようやくもんじゅの運転再開が認められました。しかし、15年のブランクは大きく、次々と原子炉の異常を示す計器の誤作動等の不具合が起こって作業が進められず、運転再開は中断されたままついに破棄されることになりました。

アスファルト固化施設の火事

僅かとはいえ放射能が管理区域外に漏れたことが重大視された

　もんじゅの事故から僅か1年半後に、またもや動燃が事故を起こしました。今度は動燃の東海事業所にある低レベル放射性廃棄物のアスファルト固化施設の火災でした。原因は、アスファルト固化に要する時間を従来より短縮した上、十分に冷却しなかったため、温度が上がってアスファルトが燃え出したのでした。一旦発火した火はスプリンクラーで消し止められたように見えましたが、監視を怠っていた間に再び燃え上がり、次々と他の容器に燃え移って大きくなりました。悪いことにこの建家は原子炉のように気密のしっかりした建物でないために、火災で飛び散った放射能が外に漏れ出してしまいました。放射能のレベルは大したことはありませんでしたが、管理区域の外の一般の人々が立ち入る場所に放射能が拡散したことが重視され、深刻な事故と見なされました。

この事故も完全な人災でありそのため動燃は改組された

　この事故で最も問題視されたのは、この廃棄物処理作業が完全に下請け業者に任せ切りにされ、動燃の職員が全然タッチしていなかったことと、現場の作業員が作業の能率を上げようとして勝手に作業手順を変更した上、十分な注意を怠ったことでした。
　これら二つの事故の結果、動燃に対する信頼は完全に失われ、つい

に組織が解体されることになりました。とは言っても、名前が動力炉・核燃料開発事業団から核燃料サイクル開発機構に改められ、首脳陣が入れ代わった以外は、そっくり新組織に中身が引き継がれました。当然のことながら、数々の不祥事の原因となった旧動燃の体質も元のままということになります。そして原子力に対する逆風は一段と強まり、地球温暖化との関連で原子力の役割が見直される迄、和らぐことはありませんでした。

JCO 臨界事故

原子炉関連事故で始めて死者が出た

　もんじゅの事故から 4 年、1999 年 9 月に東海村で寝耳に水の事故が発生しました。住友金属鉱山の子会社である核燃料加工会社 JCO が、臨界事故を起こしたのでした。大体、あの場所にそのような仕事をしている会社があることは、近くの住民ですら誰一人気にかけていませんでした。そんな訳で、最初は一体何が起きたのか判らず、混乱が続きました。

　事故は JCO の事業所内で濃縮ウラン溶液の作成中に発生し、現場にいた従業員 3 名が重度の被曝をして倒れました。JCO の要請を受けて、東海村消防署の救急隊員が現場に入って被曝者を救出しましたが、事前に事故の内容についての説明がなされず、放射線防護に対する準備を行わないまま、救助隊員も被曝してしまいました。結局、被曝した 3 人の従業員の内、実際に作業をしていた 2 名が、手当ての甲斐もなく、

後に亡くなりました。

事業所全体で危険な作業をしているという
意識は皆無であった

　事業所には中性子用の測定器は備えられておらず、ガンマ線の測定ですら始めるまでに1時間もかかり、茨城県への報告はさらにその30分後というお粗末さでした。従業員にも、危険な作業をしているという意識は皆無で、作業中に被曝量をモニターするフィルム・バッジを身に付けることさえしていませんでした。

　臨界状態がいつまでも終息しないことに危機感を持った原子力安全委員会は専門家を東海村に派遣し、その指揮の下に、原研、サイクル機構の職員の協力を求めて対策に当たりました。そこで決められた方針に従って、JCOの職員が被曝の危険を冒して交代で現場に入り、中性子を吸収するためのほう酸水を沈殿槽に注入して臨界状態を終息させることができました。

事故の責任は誰に？

事故はウランの濃厚溶液を非合法な手順で
扱ったことで起こった

　事故の原因は不完全な装置と不合理な作業手順にありました。この仕事についてJCOが科学技術庁に届け出た作業手順をこの装置で行う

ことはほとんど無理で、現場の作業員たちは最初から裏マニュアルと称する非合法な手順を作って作業を行っていました。事故を起こした作業の時は、それまでバケツを使って 10 回に分けて処理していたウランの濃厚溶液を、一度に臨界の起り易い形状の容器に集めることに変更した結果臨界事故を引き起こしてしまったのでした。

JCO には 7 人も核燃料取扱主任者がいましたが、作業員から事前に相談を受けた主任者は臨界事故の危険性に全く気付かず OK を与えていました。また、JCO に苛酷な作業を押し付けた依頼元のサイクル機構にも責任の一端があります。さらに言えば、形式的な審査で不備を見落とした上、一度も作業に立ち会わせるべく係員を派遣しなかった科学技術庁にも事故の責任があると言わざるを得ません。この事故の責任を取って、結局、住友金属鉱山は核燃料事業から撤退することになりました。

原子力推進派と反原発グループとの間の対話を密にする必要がある

反原発グループの存在が、我が国の政府や電力会社等に絶えず緊張感をもたらし、そのために原子力安全に大いに貢献していることは評価されるべきでしょう。その反面、世論の反発を怖れるあまり、原子力推進側が事故や不祥事に関わるデータの公開を渋り、反対派との対話に消極的になってしまったのは残念なことです。我が国の将来のエネルギー政策のためには、両者が同じ土俵に上がって徹底的に議論することが絶対に必要です。

8.4 放射能のゴミ

トイレ無きマンション

核のゴミを減容はできても無くすことはできない

　原子力発電炉が様々の問題・難点を抱えていることは否定できません。それを最も端的に表す言葉が「トイレ無きマンション」です。すなわち、排泄物を処理できない住まいということです。この場合の排泄物とは、原子炉の運転に伴って生じる放射性の核分裂生成物や、燃料中のウラン―238 が中性子を吸収してできる超ウラン元素のことです。今のところ、これらの放射性のゴミを最終的に無くしてしまう方法はありません。今の技術でできることは、燃えるゴミは燃やして灰にし、液体は蒸発乾固して容積を減らした上で、厳重に密封して永久保存することしかありません。

　核分裂生成物で問題になるのはセシウム―137 とストロンチウム―90 で、これらの核種の半減期は共に約 30 年です。したがって、およそ千年経てば、放射能の強さは問題にならない程度に減衰すると計算されます。しかしそれでも千年もの間、子孫に断りも無く、勝手にそのような厄介者の世話を押し付けることが許されるのかという問いが、現在の私たち自身に投げかけられています。

超ウラン廃棄物

厄介な超ウラン元素

　超ウラン元素の廃棄物については、問題は一層深刻です。生成する超ウラン元素の中には何十万年、何百万年といった非常に長い半減期のものが含まれており、ほとんど未来永劫無くならないと覚悟しなければなりません。ただ超ウラン元素の中には、ウラン―235 と同じように、中性子を吸って核分裂を起こす核種もありますから、それらの核種は原子炉の中で、ウランと一緒に燃やしてしまうことが可能です。その代表的な核種が、ウラン―238 の中性子吸収反応の早い段階で生成するプルトニウム―239 です。

高速増殖炉は止めるべきである

　このことを逆手にとって、ウランに代わる核燃料を作り出す夢の原子炉として登場したのが、高速増殖炉でした。しかし、高速増殖炉の運転は失敗続きで、各国とも撤退して現在もまだこの計画を進めようとしているのは、世界中でロシアと我が国だけです。増殖炉計画で先頭を走っていたフランスでさえも、彼等の誇る増殖炉"スーパーフェニックス"の目的をプルトニウム生産から放射性廃棄物の消滅処理に切り替えました。

　高速増殖炉は液体金属ナトリウムを冷却剤に使いますが、金属ナトリウムは化学的活性が非常に高く、危険な物質です。水分に接触すれば、激しく反応して水素を発生しますので、水素爆発を起こす危険が

あります。また、空気中では 115 度以上で発火します。もんじゅのナトリウム洩れで、ナトリウムの塊の表面が酸化されて不活性になり、大事に至らなかったのは僥倖であったと言わざるを得ません。

プルトニウム増殖計画

原子力発電は次世代エネルギーの登場までのつなぎとする

　我が国のプルトニウム増殖計画は、現在稼働中の全ての軽水炉をゆくゆくは全て増殖炉で置き換えて、燃料の自給を図るというものです。しかし、プルトニウム燃料の倍増には 17〜8 年を要すると試算されています。さらに使用済み核燃料の冷却、再処理を経て、使用可能な燃料ができ上がるまでには少なくとも 50 年はかかると見込まれています。もし、原子力発電が、化石燃料の枯渇を補う代替エネルギーとして、次世代エネルギーの登場までの繋ぎ役を果たすものと考えれば、要求される寿命は精々200 年ないし 300 年ということになります。

　2004 年 5 月 24 日付の朝日新聞に、国際原子力機関（IAEA）が利用可能なウラン資源の推定埋蔵量は 270 年分であると発表したことが報じられました。このことからも、軽水炉に比べて遥かに危険性が高く建設コストも高い増殖炉を大量に作る意味があるかは、はなはだ疑問です。

消滅処理

核廃棄物の消滅処理でなく
現在量を増やさない方向で努力する

　プルトニウム燃料であるプルトニウム—239 は通常の軽水炉でも生成します。ただ増殖炉と違って、ウラン燃料を十分に燃やすために、プルトニウム—239 以外のプルトニウムや他の元素が同時にできてきて、燃え難くなっています。この"汚い超ウラン生成物"の中のプルトニウム—239 を除いた残りはマイナー・アクチニド MA と呼ばれ、その処理処分が問題になっているのです。そのために、MA 専用の燃焼炉を作って消滅させようという計画がありますが、この方法では大半の MA は核分裂せず、中性子を吸って他の超ウラン元素に変わるだけで、思うように総量が減ってくれません。フランスのスーパーフェニックスも消滅処理でなく、放射性廃棄物が無制限に増加し続けることを防ぎ、一定の水準で平衡状態を保つことを目標にしていますが、これならば実現可能な妥当な選択であると思われます。

使用済み核燃料はワンスルー方式で中間貯蔵すべきである

　原子炉が駄目ならばということで、大線量の陽子加速器を作って、破砕反応によって MA をバラバラにしようとするオメガ計画なるものが進められていますが、これとてもたかだか数％から良くて数十％の減量が精々で、千分の一はおろか百分の一に減らすことも不可能なことは明らかです。結論としては、使用済み核燃料を処理しないで、廃

棄物を燃料棒の中に閉じ込めたまま貯蔵して置く、ワンスルー方式が最善の方法だと思われます。いずれ使用済み核燃料の再利用が必要になるとしても、将来再処理技術が進歩して、より効果的な処理法が確立した時点で行えば良いのです。

　使用済み核燃料をいじればいじる程、放射性廃棄物が増えます。たとえ再処理をしてプルトニウムを取り出し、プルサーマル方式でウラン燃料に混ぜて燃料として使っても、現在利用可能なウラン量と大差ありません。手持ちのウランだけで需要がまかなえる以上、わざわざ再処理をして厄介なゴミを生み出すことはないのです。現段階でいきなり最終処分まで持っていく必要は無く、当面中間貯蔵施設に保管しておいて、その間に最終処分の技術を開発すれば良いのです。現にドイツでは、再処理を一切禁止した上で、2030年を目処に最終直接処分場の建設を目指すことにし、当座は中間処理で凌ぐ方法を採用しています。

ウランの替わりにトリウムを

厄介な MA を作り出さないために
ウラン炉をトリウム炉に変換

　市民科学者として自らを称した高木仁三郎は、プルトニウムを作り続けることは人類に対する重大な犯罪であると言い続けました。確かにプルトニウムは無いに越したことはありません。ウランを燃料として原子炉で燃やし続ける限り、プルトニウムは生み出されます。人類

が少なくともしばらくは原子力に頼らざるを得ず、核融合の実用化が望み薄であるとするならば、プルトニウムから逃れる道はただ一つ、ウランの替わりにトリウムを燃料にすることです。

トリウム炉の研究を大々的にスタートさせるべきである

トリウムはウランより原子番号が二つだけ小さいため、超ウラン元素はほとんどできません。その上、ウラン—235 の約 300 倍の存在量がありますから、100 年や 200 年で枯渇する心配もありません。ただし、トリウム自身は熱中性子によって核分裂を起こさないため、一旦原子炉の中で、核分裂性のウラン—233 に変換してやらなければなりません。アメリカでは、プルトニウム製造の目的もあって、原子力開発の初期の段階でトリウム路線は放棄され、したがって、アメリカの流れをそのまま受け継いだ我が国の原子力界も、ウラン路線で固まってしまいました。僅かに原子力学会の一部で細々とトリウム炉の研究が続けられてきたに過ぎません。しかしカナダでは、トリウム発電炉が早くから実用化され、インドにも輸出されています。また、高温ガス炉等の特殊な目的では、世界的に試験的な試みがなされています。

近年、ハイテク産業に必須の原料となったレアアースの需要が我が国を筆頭に世界中で高まっていますが、レアアース鉱石の採掘の際には、トリウムが一緒に掘り出され、中にはその割合が 50％にも達する場合があります。トリウムは、天然の放射性物質としてはウラン等と比べて格段に強い放射線を出し、大量に放置すれば、重大な放射線障害を起こす危険があります。しかも原子炉に入れて核燃料として燃やす以外に使い道がありません。そのため、トリウム炉の開発研究の必

要性が改めて認識され始めています。

8.5　福島第一原発の事故

盲点を突かれた過酷事故

海岸に並べた非常用発電機は全て流された

　2011年3月11日に岩手、宮城、福島。茨城に亙る長大な東日本太平洋沿岸沖を震源とするマグニチュード9.0の地震が発生し、その結果引き起こされた最大高さ15mにも及ぶ巨大津波によって、沿岸部は壊滅的な被害を受けました。

　福島県中部沿岸に位置する福島第一原子力発電所も例外たりえず、最初の揺れで外部からの送電線が切断された第一発電所では、その45分後に襲ってきた津波で13基あった非常用ディーゼル発電機もすべて使用不能となり、原子炉本体並びに建屋内の使用済み核燃料貯蔵プールの冷却機能が完全に失われてしまいました。

原子炉は無事停止したが冷却水を失って炉心溶融を始めた

　福島第一原発の6基の発電炉の内、地震発生時に稼働中であった1号機から3号機までの3基の原子炉は、地震と同時に、一旦は無事強制停止されましたが、その後冷却機能が失われたため、原子炉本体を

収容している圧力容器内の水温が上昇して冷却水が蒸気にかわった結果、燃料棒が水中から露出してしまいました。温度が上昇するにつれて、燃料被覆管中のジルコニウムと水蒸気が化学反応を起こして水素が発生し、それと共に蒸気圧も高まり、圧力容器の耐圧限度を超える恐れが出てきました。

図8.2　破損した福島第一原発3号機
（朝日新聞2011年3月20日）

　そこで、水蒸気爆発を防ぐため、圧力容器中のガスを抜くベント操作を行うべく準備しているうちに、1800℃にまで加熱された被覆管が溶け出して燃料が露出し、大量の核分裂生成物が漏れ出しました。その傍ら温度は上がり続けて2800℃にまで達し、炉心溶融という深刻な事態にまで進んでしまいました。

ベント操作が思うように働かず次々と水素爆発が起きた

　そして、いざベント操作を行った時点で、大量の放射性廃棄物で汚染された水蒸気と水素ガスの混合ガスが圧力容器を包む格納容器の中に放出され、次いで、格納容器から原子炉建屋外へと放出されました。1号機と3号機ではこの手順に従って排気塔を通して炉建屋の外へ放出される筈であった水素ガスが建屋内に漏れ出したと思われ、大気と

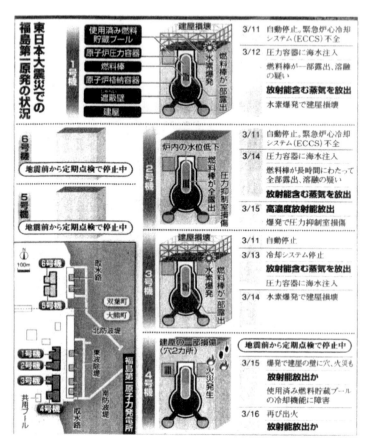

図8.3　福島第一原発の被害状況（朝日新聞2011年3月19日）

混じり合って水素と酸素の混合比が爆発限度内の組成比となったために水素爆発が発生してしまいました。

　1号機から3号機までのいずれの原子炉にも、冷却のために注入する冷却水がそのまま流出する漏洩箇所があるようで、注入量がそのま

ま汚染水の増加をもたらしています。通常格納容器の中は、酸素を除くために大気が窒素ガスで置き換えられていますが、2 号機では最初の地震によって、格納容器と配管類との接合部分に緩みが生じてこの窒素ガスが洩れ出し、再び大気に置き換わってしまったと思われ、格納容器の中で水素爆発が起こり、圧力調整室との連結部が破損し、後に冷却水が注入した傍から外部に漏れ出すことになりました。

　1 号機と 3 号機では、水素爆発の結果、原子炉建屋の天井部分はほぼ完全に破壊され、大量の放射能がそのまま環境中にばらまかれることになりました。運転停止中であった 4 号機は、当初こうしたトラブルの外にいましたが、3 号機から放出された水素ガスが建屋内に回りこんで来て、やはり水素爆発を起こしてしまいました。

　また、大量の使用済み核燃料を貯蔵していた各原子炉の燃料貯蔵プールの冷却も不可能になり、一時はかなり危険な状態になりましたが、消防隊員や自衛隊員等の決死の作業により、一応危機は回避された状態で落ち着きました。

原発事故の終息に向けて

注入する冷却水の漏洩、雨水や地下水の流入で汚染水が増加

　事故を収束するに当たって、現在直面している最大の難問は増加し続ける高濃度汚染水の始末です。それらの汚染水の貯蔵場所を確保するために、所内の利用可能な施設を総動員することになりました。廃

棄物処理施設の貯留槽を空けて高濃度汚染水を入れるために、それまで入れていた比較的低濃度の汚染水を海に放流して国際的な非難を浴びたりしましたが、それにも拘らず、汚染水の量は事故発生後1年ですでに12万トンを越え、貯留限界に近づいています。

　1号機から3号機までのいずれの原子炉にも、冷却のために注入する冷却水がそのまま流出する漏洩箇所があるようで、注入量がそのまま汚染水の増加に繋がっており、炉心の温度上昇と注入量との加減を見計らいつつの綱渡りの冷却が続けられています。その他にも地下水や雨水などが直接流れこむ亀裂や、逆に地下水脈に流れ出す漏れの存在も疑われていますが、高濃度放射線量の関係で、作業員もなかなか近づけず、現状の把握も思うに任せません。事故発生からすでに4年半以上経過した2016年も時点でもこの状況は一向に改善されず、1日400tの割で汚染水は増え続けています。

過酷な作業環境のため人もロボットも
満足に働けない状況が続く

　建屋内の高線量放射線や、2号機のほとんど100％近い異常な湿度のため、作業員が現場に立ち入ることができないことが事態を一層悪化させました。実は10年ほど前に、当時の通商産業省の肝いりで30億円をかけて原発用ロボットの開発が試みられ、6種類の試作品が完成したのですが、当時「原発で事故は起きないのでロボットは必要ない」という信念を持っていた電力会社が配備要請をしなかったため、結局一部が東北大に引き取られた以外は解体廃棄されてしまいました。解体を免れた1台が現在も仙台市科学館に展示されています。

今回の事故処理のために、米国製の作業用ロボットが提供されましたが、結局満足に働きませんでした。現在改めて我が国の研究者が現場の過酷な作業環境に合わせたロボットの開発を進めています。

　政府、東電は必要に迫られて、作業員に対する許容被ばく線量を ICRP も非常事態の際に許容している 250mSv にまで引き上げていますが、それでもその限度に達してしまった作業員が続出し、人員の補充が困難になりつつあります。中には被爆線量がすでに 250mSv を大きく越えている作業員も現れ、今後何らかの急性症状が現れる恐れもあり、注意深く見守っていく必要があります。その意味でも、一刻も早くロボットで代替できる作業を増やしていくことが望まれます。

素性の知れない汚染水には
外国製の放射能除去装置もお手上げ

　高濃度汚染水の処理方法としては、フランス製とアメリカ製の放射能除去装置を組み合わせて、まず脂分を取り除いた後、セシウム等の放射能を除去して放射能濃度を下げ、最後に塩分を除去して原子炉冷却水として使用するというシナリオを東電は描いていますが、目下のところ始めからトラブル続きで、予定通りには進んでいません。

　元々これらの装置は、燃料再処理工場で排出される比較的素性の良い汚染水の処理用に開発されたものと思われ、福島のような、ヘドロや鉄さび等が混入した素性の知れない汚染水の処理は想定されていないため対応しきれないのではないかと想像されます。

　とにかく、これらの原子炉が100℃以下の低温安定状態に落ち着き、汚染水がなんとか処理し終わるまでには、数十年に及ぶ長い年月が必

要ではないかと予想されます。

とばっちりを受けた福島県民

放射能の大量放出はパニックと風評被害を引き起こした

　水素爆発と共に空中に放出された放射性ヨウ素やセシウムは、偏西風に乗って太平洋を越えてアメリカに達し、さらに大西洋を越えて10日後にはヨーロッパにまで到達していたことが観測されました。放射能の放出量の膨大さから、政府は原子力災害のレベルを5からチェルノブイリと同じ7に引き上げると発表しました。

　国内でも放射能汚染は広がりを見せ、東京でも複数の浄水場で飲料水の暫定基準値を越えるヨウ素—131の汚染が見出されて、母親たちの間でパニックが起こりましたし、静岡では輸出した茶葉から1キログラム辺り500ベクレルというEUの基準値を越えるセシウム—137の汚染がドイツの税関で見つかり、受け入れを拒否される等の事例が相次ぎました。

　中でも地元福島県民の迷惑はこの上なく、警戒区域に指定された原発から半径20km以内の住民をはじめとして、計画的避難区域に指定されて村全体が役場毎移転させられいまだに汚染度が高く避難が解除されない飯舘村や浪江町の住民達の困惑と怒りは察するに余りあります。

東電の予測の甘さと事故に対する無策さが露呈した

　逆に空間線量が 1 μSv/h 程度の比較的低線量の地域の人達は、日常生活や自分たちの作った作物に不安を抱えながらも、国からも自治体からもなんの情報も指示も与えられることなく放置されています。現地を訪れてこのような実情に触れると本当に心が痛みます。

　一般居住空間に、放射線と放射能をばらまいたかつての JCO の臨界事故は完全な人災であり、まさに言語道断であったと断ずべきではありますが、風評被害を除けば周辺住民への実害はほとんどありませんでした。それに比べて、今回の福島第一原発の事故は予想外の震災が原因であったとはいえ、東電の想定被害の予想の甘さと過酷事故に対する無策さを考えると、その罪は重大であると言わざるを得ません。

コラム 13　ハイテク技術とローテク技術

　今回の原発事故の後、一気に原発を否定する世論が高まりました。当時の菅首相は、原発は人智を超えた制御不能の技術であると決めつけて一刻も早い原発からの脱却を唱え、大方の世論もそれを支持しています。それと共に、これまで原発の推進力となって来た、いわゆる原子力村の住民達は一斉にバッシングの嵐にさらされ、彼ら自身も自信を喪失しているようです。事故発生後 5 年になろうとする現在、我々は感情論に溺れず、冷静になって事故の本質を見つめ直す時ではないでしょうか。

　2007 年に新潟県沖で発生した M6.8 の中越地震に見舞われた柏崎刈

羽原発では地震と共に火災が発生したり、付属設備が破損したりしたものの、原子炉本体は設計通り無事に停止しました。後に視察に訪れた国際原子力機関 IAEA の調査団も、日本の原子炉の健全性にお墨付きを与えています。原子力発電炉というハイテク技術には瑕疵がなく、被害は付随するローテク技術の部分に留まっていたのです。

2011 年の東北巨大地震の際も、運転中であった福島第一、第二、女川発電所合わせて 10 基の原子炉のいずれもが計画通り停止させられました。このことはハイテク技術の結晶である原子炉本体には何の不具合も起きなかったことを示しています。福島第一原発の事故は、地震と津波によって全ての電源が失われたために炉心冷却機能を喪失したことが原因であり、これはいわばローテク技術の分野に属する事象であると結論されます。したがって、このことを以て原子力工学者全体が責められるいわれはないのです。

福島第一原発が津波に弱いことは以前から IAEA から指摘されており、一方、過去に遡れば巨大地震に襲われる危険性があることはあらかじめ予想された筈で、それほど費用を投じなくとも適切な対策は取れたと思われます。

福島第一原発と同型の発電炉を持つスイスの原子力工学専門家で IAEA の事務次長をつとめたペロード氏は、自国の原子炉に対する電源喪失と水素爆発を防止するための対策を施しましたが、その費用は僅か 500 万ドル（日本円にして 5 億円）に過ぎなかったことを明らかにしています。この金額は電源三法に基づく地元自治体への電源交付金の原発 1 基当り一年分の 20％にも満たない金額です。福島第一原発の事故は、決して想定外の事故でもなければ、制御不能の事故でもなかったのです。

新しい原発安全指針を求めて

政府はすべての原子炉を止めた

　3月11日の福島第一原発の事故を受けて、菅首相は、独断で静岡県の浜岡原発の運転停止を中部電力に要請しました。その根拠は、今後30年間に浜岡原発の近海を震源とする巨大地震が発生する確率が87%であるということ以外にはなんの科学的な説明もなされませんでしたが、首相からの要請を重く受け止めた中電はこれを受諾して、5月14日にすべての原子炉を停止しました。停止の期間は2ないし3年とされています。

　その間、浜岡以外の原発に対しては、安全性に問題は無いとして、運転停止の要請は一切なされませんでした。なぜ浜岡原発だけが停止させられたのかについての科学的説明もなされなかったことで、電力会社の間に困惑が広がり、原発を抱える地元自治体には原子炉安全性についての疑念と政府に対する不信感が強まり、定期検査のため運転停止をしていた原子炉の運転再開に同意しない方向で足並みを揃えました。そのために全54基の原子炉の内、定期検査後運転が再開された原子炉は皆無となり、一旦は運転を停止していた旧式の火力発電所を再び稼働させて急場をしのいでいます。

　それにも拘らず、厳しい夏の時期に大幅な電力不足が確実になっても国民は不平も言わず、節電で乗り切ることに協力しようとしています。国民の脱原発の願いはそれ程に高まっているのです。

我が国の長期エネルギー計画

　政府は原子力安全委員会を改組して、より権限をもたせた原子力規制委員会を作りました。そして今後のエネルギー長期計画として原発依存度を20%程度とする方針を打ち出しました。

　今回の事故以前の我が国のエネルギー事情は、総発電量の実に60%以上が化石燃料で占められ、水力が約8%、そしていわゆる再生可能なエネルギーの占める割合はほんの1%に過ぎません。不足分の30%は原子力が補っているのです。原発が完全に止まっても、水力発電を増やす可能性が見込めませんが、ある程度火力を増強し、後は節電に努めれば、快適さが失われることを我慢すればなんとか凌げるかも知れません。

　しかし、頼みの火力発電は、約15%を占める石炭を除いて、今世紀中にも確実に訪れる化石燃料の枯渇によって、完全に息の根を止められてしまうことを考慮しなければなりません。これから風力や太陽光発電等の再生可能エネルギーの増強に務めたとしても、石炭以外の火力と原子力を合わせて75%にもなる電力を賄える大規模発電の手段はないのが実情であると思われていました。

シェールガスは救世主になりうるか？

　ところが、近年になって、にわかにシェールガス／オイルが世間の脚光を浴びるようになりました。それまでも、シェールガス／オイルは地球上の広い範囲に分布し、その埋蔵量は石油、天然ガスの埋蔵量の50倍にも及ぶことは知られていましたが、アメリカでシェールガス

を取り出す手法が確立したために、アメリカの中西部はシェールガスブームに沸いています。これまで化石燃料の輸入国であったアメリカは今やエネルギーの輸出国になろうとしています。

そうなれば、当面予想されるエネルギー危機は、原子力に頼らなくとも回避されることが考えられ、日本国民の"脱原発"の願いは成就される期待が持てるかもしれません。

しかしながら、シェールガス採掘の技術はまだ実用化されたばかりであり、懸念がない訳ではありません。シェールガスを汲み上げるためには、シェールガスを内蔵する頁岩層に高圧水を送り込んで頁岩層の中に亀裂を生じさせる必要がありますが、それを助長するために大量の濃塩酸を注入しています。このことが地球環境にどれ程の影響を及ぼすかは全くわかっていないのです。現に採掘現場付近では、すでに水道の蛇口から可燃ガスが吹き出したと言った被害が報じられています。又、現在以上の割合で化石燃料に頼るとした時に、地球温暖化はどうなるのかという問題もあります。

次世代エネルギー源の登場まで
原子力関連技術は保持すべき

したがって、次世代大規模エネルギー源が開発され実用化されるまでは、化石燃料に変わる唯一の大規模エネルギー源として、原子力発電技術は捨て去る訳には行かないのです。現時点で、一旦は脱原発を果たしたとしても、いずれは再び原発を建設し稼動させなければならなくなることが予想されます。できるだけ原発への依存度を減らしつつも、次世代エネルギーの登場までの100年か200年の間はその状態

で推移する可能性が高いと思われます。したがって、現在の原子力関連技術の継承と人材の確保、そして安全対策の維持・保守は守らなければならないのです。

大暴走事故は起こり得るのか

　原発推進派と反原発グループの間の最大の溝は、チェルノブイリ事故を越えるような大暴走事故が軽水発電炉でも起こりうるかどうかという点にありました。絶対に事故を起こさない技術というものは望めないので、要は万一事故が発生したとしても、最悪どの程度で抑えられるかということになります。結局のところこれは水掛け論で、溝が埋まることは永久に無いのではないかと、悲観的にならざるを得ません。

　それでも我々は将来を見据えて、この問題と正面から向き合っていかねばなりません。私自身は、暴走は起こりえず、冷却水の喪失事故が考え得る最大事故であろうと考えていました。今回の福島第一原発の事故は、不幸にして、冷却機能の喪失が如何に重大な事故につながるかを露呈することになりました。

東電の責任は重大である

　臨界事故と美浜3号炉の蒸気漏れというお粗末な事故は別として、半世紀に近いこれまでの我が国の原子力歴史を通じて、直接的には一人の人命も失われていないという事実、技術の安全性についてかなりの自信を我人共に持っていました。この自信が裏目に出たのが今回の

福島第一原発の事故であったといえます。今回の事故を引き起こしたのが未曾有の大震災であったとはいえ、原発の安全性についての東京電力の過信が安全対策の不備を見過ごさせ、事態の収集を絶望的なものにしてしまったと言わざるを得ません。

原発安全指針私案

政府の新規制基準

先般、国際原子力機関 IAEA に提出した報告書に盛られた 28 項目に亙る教訓の中身は周知されていませんが、それに対応する安全対策としては原子力安全委員会を改組してより独立性を高めた規制委員会としたこと、安全指針の見直し検討会を立ち上げ、2013 年 7 月になってようやく新規制基準が発表されました。当然のことながら、発表された新基準はハード面の

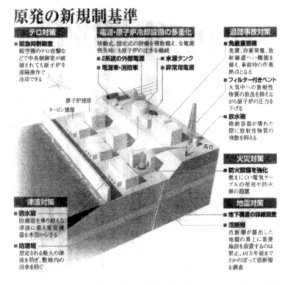

図8.4　原発の新規制基準（朝日新聞2013年7月9日）

291

みに限られていますが、福島の事故では、非常用緊急冷却装置の作動テストを設置以来一度も行っていなかった等、数々の怠慢が明らかになり、ソフト面の欠陥が大きなウエイトを占めていました。このことから原発再稼働の安全審査に際してはソフト面の規則遵守を徹底させることが必須であると考えられます。

原発再稼働の流れ

現在、原発の再稼働の申請が規制委員会に提出されて審査が続けられています。川内原発3号機、4号機はすでに許可が下りて営業運転に入っており、続いて伊方発電所3号機が再稼働の準備を始めています。規制委員会の一連の安全審査を見ると、最大の重点は、施設内に活断層が走っていないかどうかにあり、委員会と電力会社の間で深刻な対立が起こっています。この問

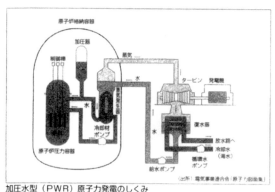

加圧水型（PWR）原子力発電のしくみ

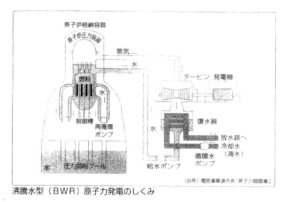

沸騰水型（BWR）原子力発電のしくみ

図8.5　沸騰水型原子炉と加圧水型原子炉

292

題は専門家の間でも意見が別れる微妙な問題で、専門外の我々には判断がつきませんが、言えることは原子炉本体はどんな大きな地震があっても、格納容器の真下に活断層があって地割れが起きて格納容器が倒れでもしない限り壊れることはありえないということです。問題はただ一つ、冷却管が破損することですが、その対策さえ立てておけば危険は回避できると考えられます。たとえ冷却管が破れたとしても、沸騰水型原子炉と違い、格納容器の外に出ているのは放射能を含まない二次冷却管である加圧水型原子炉の場合には速やかに補修できる筈で、十分な安全性が保証されると考えられます。

エネルギー基本政策私案

　この重大な時期に当たって私案を提言しこれをたたき台にして安全指針を策定して、その指針に則った対策を原発毎に求めていくことを政府に要求したいと思います。
　まず、長期エネルギー基本政策として
1. できるだけ早い時期に脱原発を目指す。
2. しかし、今世紀中にも化石燃料の枯渇が見込まれる現状から見て、当面原子力発電からの完全脱却はない。
3. 風力、太陽光、地熱等の再生可能エネルギーの普及を推進すると同時に、省エネの機運を高め、他方、大規模次世代型エネルギーの開発に力を注ぎ、早期実用化をめざす。
4. 原子力規制委員会の独立性を高めると共に、原発許認可の最終権限を有する部署を明確に定める。
5. すべての原子力発電所を国が買いあげて原子力発電機構を設立し、

原子力発電事業を一本化した上で、原子力発電関連の技術者は機構に集約する。各電力会社は原子力発電から切り離し、その送電のみを担う形にする。

の五本の柱を提案します。

当面の安全指針

次いで喫緊の当面の安全指針として

1. 各発電所毎に地盤診断をやり直し、予想される震災に対する施設の強化策を策定し、実施する。

2. 沸騰水型原子炉 BWR については、格納容器並びに原子炉建屋を二重にすると共に、圧力容器への制御棒挿入部の溶接の耐温度性を高める。

3. 原子炉の自動停止が不可能になった場合に備えて、ホウ酸水の貯蔵タンクを設け、圧力容器中に速やかに注入できるようにする。

4. 新設の原子炉はすべて加圧水型原子炉 PWR に限ることとし、現行の BWR は、老朽化の進んだもの及び震災に襲われる危険性の高いものから順次 PWR に置き換えるものとする

5. 外部電源並びに冷却用水源は多重系とし、非常用予備電源、ポンプ・モーター類は、海抜 20m 以上の高所に設置するか原子炉建屋並みの強固な構造物内に収容する。

6. 毎月一回、非常用発電機の燃料充填状況をチェックし試運転を行う。

7. ベント管の排気は他の排気系とは切り離して独立系とし、水素爆発を防ぐために、ベント管の途中に水素を酸素と結合させて水に戻す水素再結合器を設けると共に、排気口に放射能除去フィルターを設

置する。

8. 電気回線ケーブルは不燃性または難燃性のものにすると共に、ケーブル及び冷却水の配管は全て共同溝方式とする。

9. 一時冷却水の配管には十分な耐震補強措置を施すと共に、予備の循環ポンプを備える。ポンプは容易に交換可能な構造とする。

10. 駆動電力を必要としない自然冷却装置を各原子炉に設置し、数年に一度起動試験を行う。

11. 使用済み核燃料の中間貯蔵施設を建設し、現在各原発サイトに保管中の使用済み核燃料の大半をそちらに移す。

12. 使用済み核燃料プールに亀裂が入り冷却水が失われた場合に備え、補修作業用ロボットの開発を急ぐ。

13. 最後の炉心冷却手段としての消防車による注水のため、他の配管から切り離した独立の注水管を設ける。

14. 東海、東南海、南海大地震に伴う津波が予想される地域の原発サイトには海面より高さ15メートルの堤防、それ以外の地域では海面より8メートルの高さの堤防を築く。堤防には、東日本大震災を参考に、十分な強度を持たせる。

の14項目が考えられます。これだけの措置を講じれば、たとえ東日本大震災級の大震災が襲ってきても、原子炉が冷却機能を喪失することなく安全を保ち続けることが出来るはずです。

8.6 放射能の正体

放射能アレルギー

人工放射能は管理区域内に閉じ込めるのが鉄則

　世界で唯一の被爆国である日本の国民には、人一倍放射能に対する拒絶反応が現れます。広島・長崎の被災後も、ビキニの死の灰をかぶった第五福竜丸事件や、最近の JCO 臨界事故によって放射能の悲惨さ、恐さをいやというほど思い知らされた上、今回の原発事故によって、放射能に対する恐怖心がいや増しました。

　日本中が大騒ぎになるような大事故は当然のこととして、一般の人々が放射能を怖がるのは、その得体の知れない気味悪さにあります。目に見えず触っても何も感じず、その時は痛くも痒くもないくせに、後になってガンや白血病などの致命的な傷害が起きてくるという厄介な代物であることが問題なのです。それ故に、一定の量以上の放射能は、一般の人々に接することの無いように、厳重に管理された区域内に閉じ込められていなければならないのです。

　原発その他の原子力関連施設から出される放射能は悪者というイメージで捉えられ、反原発グループは、余計な放射能を 1 カウントたりとも一般人に浴びせるべきではないと主張しています。それからすれば、一般居住空間に放射線と放射能をばらまいた JCO の事故等はまさに言語道断であったと言わねばなりませんが、実のところ風評被害を除けば、実害はほとんど無かったと言えます。

福島原発事故で初めて放射能の実害が出た

　ところが今回の福島第一原発の事故は完全に我々の暮らしを一変させてしまいました。3 月 12 日から 15 日にかけて 1 号機から 4 号機までの 4 基の原子炉で相次いで発生した水素爆発で、環境中にばらまかれた 77 京ベクレル（77 億ベクレルの 1 億倍）の放射能の一部は、偏西風に乗って太平洋を越えてアメリカに達した後さらに大西洋を渡り、10 日後にはヨーロッパに到達したことが観測されました。

　地元の福島県東部及び中部は高濃度の放射能に汚染され、町や村毎避難した自治体が現れました。汚染の被害は近隣の県だけにとどまらず、遠く静岡県にまで及んでいます。今や、我々はセシウム—137 などに汚染され続ける環境下で生活することを余儀なくされており、日常茶飯事となった外部被曝、内部被曝そして汚染された食物の摂取を続けることを強いられているのです。

　そんな環境の中で、健康を損なう恐れなしに、果たしてどれだけの放射能が許されるのか、それを考えなければなりません。

放射線と放射能

放射線は取り除けるが放射能は存在し続ける

　一般の人達は、放射線と放射能を混同して怖がっています。まず両者の違いを明らかにしておきましょう。放射線とは、生体や物質に損傷を与えるような比較的高いエネルギーの流れのことで、一方、放射

能とは放射線を出す能力を持った放射性物質（同位体）のことを指します。そして、放射線の強さはシーベルト Sv で表し、放射能の強さはベクレル Bq で表示されます。ここで、1Bq は毎秒 1 個の放射性同位元素が壊れることを意味します。

　放射線は、その放出の原因が無くなれば消滅します。放射線発生装置の電源を切れば放射線は消えますし、JCO の臨界事故で言えば、臨界状態が終息してしまえば、一応それ以上放射線の心配をする必要は無くなります。これに対して、放射能は物質ですから、その場所に存在し続け、壊れる時に放射線を出し続けます。しかし、人間の身体や農作物の表面に付着した放射能は大抵簡単に水で洗い流せるので、それほど心配する必要はありません。ただし、身体の中に取り込んでしまった放射能は、減衰して無くなるか体外に排出されるまで取り除くことが難しいので、大量に吸い込んだ時には問題になります。

われわれは身体の中に天然の放射能を持っている

　ところで、私たちの周囲には、平均して 3 ヶ月当りおよそ 100〜200 マイクロシーベルト（1 万分の 1 ないし 2Sv）の自然放射線が存在しており、また、コップの大きさ程度の測定器は毎分 30〜50 カウントの天然放射能（バックグラウンド）を計測します。これはおよそ 2Bq の放射能に相当しますが、体積が増えればそれだけバックグラウンドも増えるので、人間が受ける自然放射能は 100Bq 程度であると見積もることができます。実はそれ以外にも私たちは放射能を抱えています。私たちの身体には、ナトリウムと同属のカリウムという元素が含まれていますが、このカリウムには 0.01% の割合で放射性同位元素のカリウ

ム 40 が含まれています。成人の身体には約 140 グラムのカリウムが存在するといわれているので、体内にはおよそ 14 ミリグラムのカリウム 40 がある計算になります。これは実に 4300Bq の放射能に相当します。さらに、人間の身体には 16 キログラムの炭素が存在し、その中にはカリウム 40 の放射能に匹敵する量の放射性炭素 14 が含まれています。

　これら一連の自然放射能は、常に私たちの身の回りにいて、いわば長いおつき合いをしている "隣の放射能" と言うことができます。ちなみに、国際放射線防護委員会（ICRP）が勧告している一般人に対する年間許容線量は 1000 分の 1 シーベルト（1mSv）です。この値は、1 メートル離れた位置にある約 3 億 Bq のコバルト 60 の放射線を 1 時間浴びた時に受ける線量に相当します。

ラジウム温泉

世の中には人々に有り難がられる放射能もある

　どうも世間では、この世には良い放射能と悪い放射能の二種類があると思っているふしがあります。原子力関連施設から出る悪い放射能が嫌われる一方で、ラジウム温泉に代表される健康に良い放射能が有り難がられています。ラジウム温泉は含有放射能の濃度が高いほど珍重され、有名な温泉の湯には 1 リットル当り数千 Bq を越える放射性のラドンを含むものが多く知られています。中でも山梨県の増富温泉は有名で、1 リットル当りの放射能は 1 万 2 千 Bq に達します。ラジウム温泉の薬効が、長年にわたって信じられてきたことは確かです。その

効能が放射線に因るものであるのか、それとも放射能を含んでいない温泉と同じように、温泉水に含まれるミネラル成分の効果によるものかは、検討の余地が残されていると思われますが、少なくとも放射能泉が害を及ぼした例は知られていません。放射能泉の地元で、ガンの発生率がとくに高いということが指摘されたこともありません。

逆に、専門家の調査によれば、温泉地の周りには、長寿の人が多いことが認められています。その反面、反原発グループの中には、ラジウム温泉地の周りには染色体異常が多く見られるといっている人がいることも無視すべきではないでしょう。この問題についても、今後信頼性の高い疫学的調査が望まれます。

医療用放射能

医療用の放射線や放射能は特別に扱われる

実は私たちには、医療用の放射線や放射能との付き合いもあります。ガン治療のためのコバルト照射や、すでに発病している患者に投与する診断用のテクネチウム—99m は、なんらかの放射線障害を引き起こすほど強力ですが、これはガン治療のためにはやむを得ないこととして受入れられています。

問題は、健康な人が検査のために浴びている放射線です。国連科学委員会の報告によれば、胸部（肺、心臓）のX線間接撮影で 0.3mSv、断層撮影では 8.6mSv の線量を、また、胃・上部消化器官の間接撮影で 2.8mSv、透視では 4.2mSv、頭部の CT スキャンでは 6.9mSv の被曝をす

るとされています。そのほかにも、歯の治療や骨折部の撮影など、様々な場合に放射線が使われています。

放射能に変りはない

一般人と職業人では許容線量が異なっている

　原子力施設から放出されようが、温泉から湧いて出ようが、はたまた医療用であろうが、放射能は放射能であり、両者の間に根本的な差がある訳ではありません。つまり、世の中に良い放射能も悪い放射能も無いのであって、放射能は放射能なのです。大量の放射線を浴びれば害になることは明らかです。そのために、ICRP は業務上放射線に被曝する危険のある職業人に対しては、年間の許容線量を 20mSv と勧告しています。また我が国でも、その趣旨に則って定められた放射線障害防止法を遵守して作業を行うことが求められています。

　しかし、少量の放射線が私たちにどんな影響を与えるかについては、まだ良く分かっていないのが現状です。そのため、一般人に対しては、十分な安全度を見て、職業人に比べて低い値が与えられています。ICRPの以前の勧告では、当時の職業人に対する許容線量の 10 分の 1 の年間5mSv という値が望ましいとしていましたが、その後、自然放射線による被曝や医療被曝を考慮して、年間 1mSv に改められました。

生物進化と放射線

35億年の長い付き合いの中で
放射線がプラスの方向に働いたかも

　不必要に放射能を浴びることは無意味ですが、むやみに放射能を怖がることもないのです。なにしろ生命の誕生以来、我々は絶えず放射線の影響下にあった訳で、生物の進化に放射線が重要な役割を果たしてきたことは、間違いありません。もし放射線が無かったならば、私たち人類は生まれて来なかったかも知れないのです。生物体では、絶えず古くなった細胞が死んで新しい細胞に置き換わる"アポトーシス（細胞死）"という現象が起きていることが知られていますが、放射線影響学の専門家の間には、アポトーシスの過程で放射線が劣悪な細胞を選択的に排除しているという意見もあります。

　もっと積極的に、適度の放射線に継続的に晒されることは老化防止や免疫力の増強などの効果があると、一部の専門家たちには信じられています。自然が作り上げた生命の巧妙な仕組みを見るにつけても、放射線が、35億年に及ぶ長い生命活動の中で、何らかの積極的な役割を与えられるようになったということは、大いに考え得ることです。

終章　これからの科学と科学者

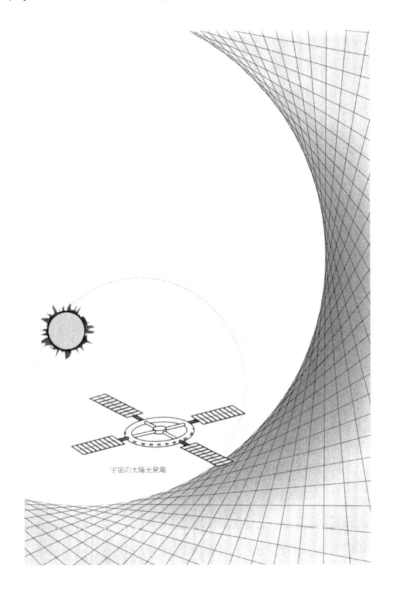

宇宙の太陽光発電

科学者の良心

19 世紀末から 20 世紀前半にかけて起った、放射能の発見とそれに続く量子論と相対性理論の登場は、まさに人類科学史上の一大ブレークスルーでありました。それからおよそ百年あまりが経過した間の科学技術の進歩は目覚ましく、人類はその恩恵を十二分に享受しています。

その反面、近代産業の発展につれて、資源とエネルギーの大量消費と、自然環境の破壊が人類の生存を脅かすようになって来ました。引き起こされたさまざまな公害に対して、元凶である企業の責任が厳しく問われるのは当然として、その元になった新技術や製品を造り出した科学者の社会的責任を問う声が無視できなくなりつつあります。

原子爆弾の出現以来、科学者が己の興味の赴くままに、真理の探究を無条件に続けることが許されるという状況ではなくなってきたのです。科学的探究心や功名心と、人間としての良心との相克に悩んでいる科学者も数多くいる筈です。遺伝子操作やクローン技術に代表される新技術の発展につれて、科学者の悩みは、一段と深まってきていることでしょう。

環境破壊と新しいテクノロジー

それはそれとして、これからの人類の運命が新しいテクノロジーの発展にかかっていることは、間違いありません。われわれを取り巻く現状は、とても楽観的な気分にはなれない有様です。化石燃料を始めとする資源の枯渇は目の前にせまり、環境破壊が進んで、多くの生物

種が絶滅したり絶滅の危機にさらされたりしています。

　世界中至る所で武力紛争が絶えず、人類は核兵器の拡散やテロの横行に脅かされています。大部分の人達は、将来に明るい希望を見い出すことができないでいます。もしこの世に神や、SFに登場する万能の超知性体が存在するならば、間違い無く人類はこの世から抹殺されることでしょう。

　そんな最悪な状態から抜け出し、未来に希望を見出すことは可能でしょうか。この質問に対する答えはイエスです。ただし、それには条件があります。すなわち、これ以上の自然破壊、環境汚染を起こさないようにすると同時に、修復可能な自然は出来るだけ元の状態に戻すこと、さらに人口の増加を出来るだけ抑制することがその条件です。そのような条件が充たされたとすれば、新しいテクノロジーの登場が私たちに未来への希望を与えてくれるでしょう。

新しいテクノロジーの萌芽

　すでにその萌芽を幾つか見ることができます。その一つが、生ゴミの再生利用です。我が国では、メタン菌を使った高温発酵により生ゴミをメタンに変え、それから水素燃料電池を作って発電と熱利用を進める研究が進められています。

　生ゴミを燃料に変える施設は全国各地に数多く作られていますが、その中の一つで燃料貯蔵用のタンクが爆発して燃焼し、人命が失われる惨事がありました。この事故により、生ゴミ再利用の安全性に関して再検討せざるを得ず、為に開発は一時スローダウンせざるを得ないでしょうが、やがては再開発が始まることでしょう。

一方、九州大学工学部では、生ゴミ中のでんぷん・糖の乳酸菌発酵によってポリ乳化プラスチックの製造研究が行われていると報じられました。また自動車メーカーでは、ジメチルエーテルを燃料とする燃料電池自動車の開発が進められています。さらに進んで水素エンジンを使った自動車が実用段階に入ろうとしています。

光触媒

　光を吸収して、そのエネルギーを光を吸収しない反応物に与えて反応を起こさせる物質を光触媒と呼びます。光触媒には均一系と非均一系とがありますが、非均一系光触媒の一つである酸化チタンが目下非常な注目を浴びています。光触媒は水の電気分解によって水素と酸素を発生しますが、酸化チタン膜の電気分解効率は極めて高いことが知られています。それのみならず、最近になって酸化チタン薄膜は超親水性を呈することが見出されました。

　さらに、光電気化学反応で発生する活性酸素の働きによって、有機物が分解される効果もあることが分かってきました。このため建物の表面を酸化チタン薄膜で覆えば汚れ難く、たとえ汚れたとしても、簡単に汚れを洗い落とせるという特質が得られます。そのために、現在新築のビルやマンションの外壁は、酸化チタンの薄膜でコートされるようになっています。さらに、酸化チタン膜の上に水の薄い層を形成させることで、水の蒸発の際の気化熱で建物が冷却されて、ヒートアイランド現象の解消が見込めるという効果も期待されます。我が国で開発された光触媒技術は多様な可能性を秘めており、今後一段とその研究・実用化が図られることでしょう。

海水の温度差を利用して発電を起こすというアイデアが、1981年にフランスで発表されました。佐賀大学ではこの原理を適用した発電システムを試作しています。このシステムは、表層面の海水と海面下500ないし1000メートルの深層水との温度差を利用して、アンモニアの気体—液体サイクル循環によって発電させるというものです。

次世代エネルギー

　これらの例を見るだけでも、環境と折り合いを付けながら、我々も生きながらえてゆく可能性は十分見込むことができそうです。ただ人類が活動し続けるためには、エネルギーの確保が不可欠になります。前の章で見てきた通り、私たちは出来るだけ早く、次世代エネルギーを開発し、脱化石燃料と脱原子力を図らねばなりません。人類が繁栄出来るか否かは、次世代エネルギーの開発の成否にかかっているのです。

　次世代エネルギーとして有望なのは、1) 砂漠での太陽光電気分解と海水の淡水化、2) 宇宙空間での太陽光発電、3) 月面での ^{3}He と中性子との核融合、4) マグマ熱発電、5) 海水の温度差発電の五つと、高温超伝導ケーブルの開発による送電ロスの抑制であると考えられます。1) については、サハラ砂漠が最も有望で、砂漠の広大な地面にソーラーパネルを敷き詰めて発電を行い、その電気を使って、まず海水の淡水化プラントを動かします。生成した水の一部の電気分解によって水素ガスを製造し、世界各地に送ります。残りの水で砂漠の緑化を図るというもので、この計画は現在の技術で直ちに取りかかれる筈です。ただし、砂による光電パネルの磨耗を防止する方策を立てることが必要

です。さらに、計画の立案の段階でしっかりとした環境アセスメントを行わねばならないことは言うまでもありません。

　2）と3）では、作り出したエネルギーを地球上の私たちがどのように利用出来るかという問題を解決しなければなりません。人工衛星や月からエネルギーをマイクロウエーブの形で地球に送る方法がすでに研究されていますが、最後にはマイクロウエーブの指向性の安定度が鍵を握っています。3）についてですが、^{3}He が ^{4}He の百万分の一しか存在しない地球の大気中と違って、月面では ^{3}He の存在比が ^{4}He とそれ程極端に違わないので、ヘリウムの採取さえ順調にいけば、現在研究されている重水素の核融合反応に比べてはるかに有望な方法となります。

　4）について、今後、この海洋温度差発電が実用化されるかどうかは、深層水の汲み上げに要するエネルギーを上回るエネルギーが得られるか否かと、果たして火力発電や原子力発電に匹敵するほどの大エネルギーが得られるかどうかの二点にかかっています。

　最後に、送電ロスの抑制の問題ですが、もしロスをほとんどゼロに出来れば、その効果は絶大で、恐らくそれだけで化石エネルギーの穴をかなり埋めることが可能になる筈です。そこまで徹底しなくても、もし液体窒素の温度以上で超伝導性を示す物質が見つかれば、100%は無理としても、出来るだけ超伝導の送電ケーブルを敷設することで、かなりの割合で送電ロスを防ぐことが可能になります。

　こうして眺めると、人類の未来に占めるテクノロジーのウエイトは極めて大きいことが分かります。最近のノーベル物理学賞や化学賞がテクノロジー的な分野に傾いているのも当然といえないことはありません。

望まれるブレークスルー

　それでは、基礎科学の分野はどうかといえば、十分に人類の未来に貢献できる余地はあります。たとえば、高温超伝導のメカニズムの解明や、ガンの発現機構の完全解明といった成果は、測り知れない恩恵を人類にもたらすことになるでしょう。

　しかしながら、基礎科学の分野で今望まれるのは、真のブレークスルーではないでしょうか。放射能の発見に続く量子力学と相対性理論の登場は、独り物理学の分野に留まらず、科学全般に影響を与えました。それ以来、約1世紀をかけて、我々は、営々として、その土台の上に、様々な建築物を構築してきました。

　ここに来て、先行きに行き詰まりを感じて、次なるブレークスルーを待望する研究者も増えて来ているような気がします。どこにどんなブレークスルーが待ち受けているかは知る由もありませんが、ペンローズが思い描いている、量子力学を超える新しい物理学が生み出されれば、間違い無くブレークスルーになることは確実でしょう。

　2012年のノーベル医学・生理学賞に万能細胞になりうると期待されるiPS細胞を作り出すことに成功した京都大学の山中伸弥教授が選ばれました。この業績は医学分野での革命的な出来事という声も聞かれており、まさに医学・生物分野におけるブレークスルーの兆しであるように思われます。願わくば、この本の読者の中からそのようなブレークスルーの立役者が生まれることを切に願っております。

参考図書

序　章

1)　H. バターフィールド著（渡辺正雄訳）「近代科学の誕生」上、下　講談社学術文庫（1978）

2)　今道友信著「アリストテレス」講談社学術文庫（2004）

3)　A. ファントリ著（大谷啓治監修、須藤和夫訳）「ガリレオ──コペルニクス説のために、教会のために──」みすず書房（2010）

第1章

1)　カレーリン著（小林茂樹訳）「面白い化学元素」東京図書（1981）

2)　斉藤一夫著「元素の話」化学の話シリーズ I（大木道則編）培風館（1982）

3)　Yu. I. コリャーキン著（小林茂樹訳）「原子の伝説」東京図書（1963）

4)　本田雅健著「元素」科学シリーズ物性 I　三省堂（1977）

5)　馬渕久夫編「元素の辞典」朝倉書店（1994）

6)　B. A. チェルノゴーロワ著（北門新作訳）「身近に見る原子核」講談社（1981）

7)　紫藤貞明著「科学史を飾る人々」聖文社（1978）

8)　E. キュリー著（川口篤、河盛好蔵、杉捷夫、本田喜代治訳）「キュリー夫人伝」泊水社（1988）

9)　O. ヴォウチェク著（小倉いせ子訳）「キュリー夫人」恒星社（1993）

第2章

1)　B. A. チェルノゴーロワ著（北門新作訳）「身近に見る原子核」講談

社 (1981)

2)　I. アシモフ著（住田健二訳）「原子核エネルギーの話――秘められた世――」東海大学出版会 (1975)

3)　紫藤貞明著「科学史を飾る人々」聖文社 (1978)

4)　奥野久輝著「放射能分析の歴史」分析化学 vol.16 (1967)

5)　G. フリードランダー、J. W. ケネディ著（斉藤信房、柴田長夫、横山雄之、池田長生訳）「核化学と放射化学」丸善 (1965)

6)　古川路明著「放射化学」朝倉書店 (1994)

7)　物理学辞典編集委員会編「物理学辞典」改訂版　培風館 (1992)

8)　竹内均編「ブラックホール宇宙」ニュートン別冊　教育社 (1990)

9)　佐藤勝彦監修「みるみる理解できる相対性理論」ニュートン別冊　ニュートンプレス (2005)

10)　P. ホフマン著（平石律子訳）「放浪の天才数学者エルデシュ」草思社 (2000)

11)　一松信・竹内脩「新数学事典」大阪書籍 (1979)

第3章
1)　G. ガモフ著（伏見康治訳）「宇宙の創造」ガモフ全集 7　白楊社 (1959)

2)　竹内均編「ブラックホール宇宙」ニュートン別冊　教育社 (1990)

3)　佐藤文隆、松田卓也著「相対論的宇宙論」ブルーバックス　講談社 (1974)

4)　R. ゼックスル、H. ゼックスル著（岡村浩、黒田正明訳）「白色矮星とブラックホール」培風館 (1985)

5)　P. C. W. デイヴィス著（戸田盛和、田中裕訳）「宇宙における時間と

空間」岩波現代選書（1980）

6) E. L. シャッツマン著（小尾信弥訳）「宇宙の構造」平凡社（1970）

7) J. グリビン著（桜山義夫訳）「シュレーディンガーの子猫たち」シュプリンガー・フェアラーク東京（1998）

8) 杉本大一郎編「星の進化と終末」現代天文学講座7　恒星社(1979)

9) 杉本大一郎著「星の進化」物質・生命・宇宙II　共立出版（1969）

10) 本田雅健編「宇宙地球化学」新実験化学講座10　丸善（1976）

11) 木越邦彦著「放射化学概説」培風館（1968）

12) 木越邦彦著「核化学と放射化学」基礎化学選書　裳華房（1981）

13) 林忠四郎、早川幸男編「宇宙物理学」現代物理学の基礎　岩波書店（1973）

14) M. D. モニック著（小林健一郎訳）「宇宙論の危機」ブルーバックス　講談社（1994）

15) 小田稔監訳「宇宙・天文大辞典」マグロウヒル天文学エンサイクロペディア　丸善（1987）

16) 須藤靖、高田昌広、相原博昭著「宇宙の暗黒エネルギーを探る」日本物理学会誌 vol. 62, no. 2, p83（2007）

17) P. C. W. デイヴィス著（松田卓也、二間瀬敏史訳）「ブラックホールと宇宙の崩壊」岩波現代選書（1983）

18) I. アシモフ著（小隅黎、酒井昭伸訳）「大破滅」講談社（1980）

第4章

1) 竹内均編「太陽系のすべて」ニュートン別冊　教育社（1990）

2) 中沢清編「太陽系の構造」現代天文学講座3　恒星社（1979）

3) 古畑正秋著「太陽系」新天文学講座II　恒星社（1957）

4)　A. I. オパーリン著（石本真訳）「生命の起源」岩波書店（1969）

5)　野田春彦著「生命の起源」NHK ブックス　日本放送出版協会（1984）

6)　P. トール著（平山廉監修）「ダーウィン」創元社（2001）

7)　佐倉統著「進化論という考え方」講談社（2002）

8)　中原英臣、佐川峻著「進化論が変わる」ブルーバックス　講談社（1991）

9)　実吉達郎著「キリンの首はなぜ長いのか」PHP 研究所（1990）

10)　奥野良之助「金沢城のヒキガエル——競争なき社会に生きる——」平凡社ライブラリー（2006）

11)　R. ミュラー著（手塚治虫監訳）「恐竜はネメシスを見たか」集英社（1987）

12)　H. ゲスト著（高桑進訳）「微生物の世界」培風館（1991）

13)　H. コリンズ、T. ピンチ著（福岡伸一）「七つの科学事件ファイル」化学同人（1997）

14)　山崎真司著「微生物のおはなし」日本規格協会（1996）

15)　中原英臣著「ウイルスの正体と脅威」河出書房（1996）

16)　J・D・ワトソン著（江上不二夫、中村桂子訳）「二重ラセン」講談社（1986）

17)　大木道則、大澤利昭、田中元治、千原秀昭編「化学辞典」東京化学同人（1994）

第 5 章

1)　朝永振一郎著「量子力学」Ⅰ、Ⅱ　みすず書房（1952）

2)　G. フリードランダー、J. W. ケネディ著（斉藤信房、柴田長夫、横山祐之、池田長生訳）「核化学と放射化学」丸善（1965）

3)　A・アインシュタイン著（西島和彦監訳）「神は老獪にして」産業図書（1987）

4)　N. ボーア他著（林一訳）「アインシュタインとの論争」東京図書出版（1969）

5)　T. バステイン著（柳瀬睦夫、村上陽一郎、黒崎宏、丹治信春訳）「量子力学は越えられるか」東京図書出版（1973）

6)　J. グリビン著（坂本憲一、山崎和夫訳）「シュレーディンガーの猫」上, 下　地人書館（1989）

7)　J. グリビン著（桜山義夫訳）「シュレーディンガーの子猫たち」スプリンガー・フェアラーク東京（1998）

8)　長沢正夫著「シュレーディンガーのジレンマと夢——確率過程と波動力学——」森北出版（2003）

9)　P. C. W. デイヴィス, J. R. ブラウン著（出口修至訳）「量子と混沌」地人書館（1987）

10)　R. ペンローズ著（中村和幸訳）「心は量子論で語れるか」講談社（1998）

11)　V. J. ステンガー著（青木薫訳）「宇宙に心はあるか」講談社（1999）

12)　L. ポーリング著（小泉正夫訳）「化学結合論」共立出版（1942）

13)　C. A. クールソン著（関集三、千原秀明、鈴木啓介訳）「化学結合論」岩波書店（1954）

14)　富永裕久著「左と右の科学」ナツメ社（2001）

第6章

1)　本田雅健編「宇宙地球化学」新実験化学講座10　丸善（1976）

2)　木越邦彦著「核化学と放射化学」基礎化学選書　裳華房（1981）

3)　古川路明著「放射化学」朝倉書店（1994）

4)　鈴木嘉一著「不思議なアイソトープの働き」地人書館（1956）

5)　日本放射性同位元素協会編「アイソトープ便覧」丸善（1970）

6)　日本アイソトープ協会編「ラジオアイソトープ」"基礎から取扱いまで"丸善（1980）

第7章

1)　G. T. Seaborg and A. R. Fristsch「The Synthetic Elemennts：III」Scientific American 208, no. 4. 68（1960）

2)　G. T. Seaborg and J. L. Bloom「The Synthetic Elements：IV」Scientific American 220, no. 4. 57（1969）

3)　A. Giorso. and T. Sikkelannd「The Search For Element 102」Phys. Today20, no. 9. 25（1967）

4)　馬場宏著「重元素（I）超ウラン元素から超重元素へ」Radioisotopes49, 305, 日本アイソトープ協会（2000）

5)　永目論一郎、工藤久昭、篠原厚著「重元素（II）超重元素の最前線・その合成と化学」Radioisotopes49, 363, 日本アイソトープ協会（2000）

6)　馬場宏著「ブラックホールは毛が三本——現代科学発展の歴史と現状」新風舎（2006）

7)　S. キーン著（松井信彦訳）「スプーンと元素周期表——最も簡潔な人類史への手引き——」早川書房（2011）

8)　馬場宏著「元素周期表のフロンティア——超重元素の熾烈な合成競争——」現代化学 503, 30, 東京化学同人（2013）

第 8 章

1) 安藤良夫著「原子力船むつ」ERC 出版（1996）

2) 高木仁三郎著「脱原発に歩み出す I」高木仁三郎著作集 I 七つ森書館（2002）

3) 高木仁三郎著「反原発出前します」七つ森書館（1993）

4) 原子力資料情報室編「原子力市民年鑑」七つ森書館（2000）

5) もんじゅ事故総合評価会議「もんじゅ事故と日本のプルトニウム政策」七つ森書館（1997）

6) JCO 臨界事故総合評価会議「JCO 臨界事故と日本の原子力行政」七つ森書館（2000）

7) 高木仁三郎著「プルトニウムの恐怖」岩波新書 岩波書店（1981）

8) 草間朋子編「ICRP1990 年勧告 その要点と考え方」日刊工業新聞社（1991）

9) 馬場 宏著「ガラスの地球とホモ・サピエンス 人類に明日はあるか」クリエイティブメディア出版（2012）

10) 馬場 宏著「食品放射能の許容値を考える——非常時に許される安全基準とは——」現代化学 492、22、東京化学同人（2012）

あとがき

　放射能の発見は科学全般にわたって面目を一新し、自然界についての認識を根本的に変えただけでなく、その応用としての技術面でも大きな進歩を遂げました。まさに革命的な出来事であったと言うことができます。しかしその輝かしい成果の陰に未曾有の犠牲が払われねばならなかったことを見逃す訳には行きません。

　物理学を基礎におく応用面では、核兵器として開発された原子爆弾に始まり、原子力利用の象徴である原子力発電の分野でスリーマイル、チェルノブイリそして福島第一原発の事故の洗礼を我々は受けなければなりませんでした。一方、化学を基礎とする応用面では、多様に生み出される人工の化学物質が原因となった様々な公害問題、環境汚染が人類の生存を脅かしています。人類社会に及ぼす影響の深刻さ故に、直接関わりのない基礎科学の研究者といえども様々な応用技術の行き着く先を注意深く監視し、絶えず情報や意見を発信し続けることで己の責任を果たすことを肝に銘じなければなりません。第 8 章はその想いを込めて付け加えました。

　世界は今、テロ、国際紛争、難民の増加、貧困、経済の減速、資源の枯渇、環境汚染と気候不順、とまさに難問続出で非常な危機を迎えていると言えます。この危機を乗り越えるためには、人類は一丸となって英知を働かせなければなりません。そのためには若い力が自然科学の分野に大挙して導入されることが不可欠です。この本が若者にそのようなモチベーションを与える一助になればこれに越した喜びは有りません。

著者略歴

馬場　宏（ばば・ひろし）

1934 年東京に生まれる。

1958 年東京大学理学部化学科卒業。

1958 年から 82 年まで日本原子力研究所に勤務し、放射化学の研究に従事する。1961 年から 4 年間アメリカ留学、Ph. D. 取得。82 年から大阪大学理学部に移り、研究と学生の教育に従事した後、1997 年に定年退職。大阪大学大学院名誉教授。

著書:「ガラスの地球とホモ・サピエンス」（新風舎）ほか。

サイエンス・タイム
世界を変えた放射能の発見

2023年2月28日発行　　　　　　著　者　**馬場　宏**

発行者　**向田翔一**

発行所　　株式会社 22 世紀アート
　　　　　〒103-0007
　　　　　東京都中央区日本橋浜町 3-23-1-5F
　　　　　電話　03-5941-9774
　　　　　Email: info@22art.net　ホームページ：www.22art.net

発売元　　株式会社日興企画
　　　　　〒104-0032
　　　　　東京都中央区八丁堀 4-11-10 第 2SS ビル 6F
　　　　　電話　03-6262-8127
　　　　　Email: support@nikko-kikaku.com
　　　　　ホームページ：https://nikko-kikaku.com/

印刷
製本　　　株式会社 PUBFUN

ISBN : 978-4-88877-166-5
© 馬場宏 2023, printed in Japan